PETER SANDER, MBA

TUDO O QUE VOCÊ PRECISA SABER SOBRE

NEGOCIAÇÃO

O **GUIA COMPLETO** DE NEGOCIAÇÃO PARA VOCÊ **DESENVOLVER SUAS ESTRATÉGIAS** E CHEGAR AO **ACORDO EM QUALQUER SITUAÇÃO**

CARO LEITOR,

Queremos saber sua opinião sobre nossos livros.
Após a leitura, curta-nos no **facebook.com/editoragentebr**,
siga-nos no **Twitter @EditoraGente**, no **Instagram @editoragente**
e visite-nos no site **www.editoragente.com.br**.
Cadastre-se e contribua com sugestões, críticas ou elogios.
Boa leitura!

PETER SANDER, MBA

TUDO O QUE VOCÊ PRECISA SABER SOBRE

NEGOCIAÇÃO

O **GUIA COMPLETO** DE NEGOCIAÇÃO PARA VOCÊ **DESENVOLVER SUAS ESTRATÉGIAS** E CHEGAR AO **ACORDO EM QUALQUER SITUAÇÃO**

TRADUÇÃO: LEONARDO ABRAMOWICZ

Diretora
Rosely Boschini

Gerente Editorial
Carolina Rocha

Editora Assistente
Audrya de Oliveira

Controle de Produção
Fábio Esteves

Tradução
Leonardo Abramowicz

Preparação
Laura Folgueira

Imagens de Capa
Clipart.com

Diagramação e Adaptação de Capa
Vanessa Lima

Revisão
Nestor Turano Jr. e Carolina Forin

Título original: *Negotiation 101*

Rua Natingui, 379 - Vila Madalena
São Paulo - SP CEP. 05443-000
Telefone: (11) 3670-2500
Site: www.editoragente.com.br
E-mail: gente@editoragente.com.br

Dados Internacionais de Catalogação na Publicação (CIP)
Angélica Ilacqua CRB-8/7057

Sander, Peter
Tudo o que você precisa saber sobre negociação / Peter Sander ; tradução de Leonardo Abramowicz. – São Paulo : Editora Gente, 2020.
224 p.

ISBN 978-85-452-0385-8
Título original: Negotiation 101.

1. Negociação 2. Negócios – Negociação I. Título II. Abramowicz, Leonardo

20-1332 CDD 658.4052

Índice para catálogo sistemático:
1. Negociação

Os profissionais de negociação, o que inclui
a maioria de vocês, são em muito maior número
do que os negociadores profissionais.
É principalmente para vocês que eu dedico este livro.

SUMÁRIO

INTRODUÇÃO

Como a maioria das pessoas, você trabalha para viver. Administra um pequeno negócio. Ou ocupa um cargo importante em uma empresa maior. Ou está empregado em um órgão público ou em uma organização sem fins lucrativos. Ou talvez nem participe da força de trabalho.

Mais cedo ou mais tarde (provavelmente mais cedo) você desejará ou precisará de *algo* de alguém. Esse alguém poderá ser outra pessoa, outra empresa, um indivíduo ou organização dentro ou fora de seu negócio ou organização. Quanto ao que você precisa ou deseja, pode ser uma nova contratação, um contrato de trabalho, um fornecimento de matéria-prima, uma consulta profissional, um conselho financeiro ou até mesmo uma sala de reuniões. Você precisa de algo de alguém, e é importante.

Esse algo pode ser grande ou pequeno. Então, você precisa se reunir com alguém para consegui-lo. Como os recursos são preciosos, você tem que tentar fechar o melhor negócio. Terá de fazer um pouco de "dar e receber" para obter o melhor valor pelo seu dinheiro, o melhor valor pelo seu tempo, o melhor valor pelos recursos que tem a oferecer.

Você precisa *negociar*.

Parece assustador. Ouvimos falar de negociações tensas e prolongadas sobre acordos trabalhistas ou negociações de paz para acabar com guerras. Só a ideia de participar de negociações com tanta coisa em jogo já é suficiente para deixar a maioria das pessoas em pânico.

Felizmente, em sua maior parte, as nossas negociações na vida real são menores e menos cruciais – mas ainda assim importantes. Uma reunião ou duas, até mesmo um telefonema ou uma troca de e-mails resolvem o problema. No atual mundo empresarial, cada vez mais rápido as ferramentas tecnológicas aceleram a velocidade das negociações.

No entanto, por mais breves que sejam as negociações, e não importa o que esteja sendo negociado, você ainda precisa saber o que está fazendo. Você quer um acordo que atenda às suas necessidades, que gere o valor buscado sem precisar ceder muito em troca.

É aí que entra o *Tudo o que você precisa saber sobre negociação*. Este livro oferece as ferramentas básicas, habilidades, táticas e processos para que você se torne um negociador mais confiante e eficaz – seja tratando-se de um emprego em tempo integral ou algo que você faz de vez em quando, seja para um contrato de 10 milhões no trabalho ou para dividir o uso do carro da família com seus filhos adolescentes.

Os mesmos princípios se aplicam.

AS PRINCIPAIS IDEIAS

Tudo o que você precisa saber sobre negociação abrange as principais ideias, estratégias, táticas, respostas e habilidades para ajudá-lo em qualquer tipo de negociação com qualquer contraparte, em qualquer lugar. Os princípios e temas fundamentais da negociação que você verá neste livro incluem:

- **A negociação está por toda parte.** Você negocia no trabalho, em casa e até mesmo durante as atividades de lazer. Pode negociar contratos para aviões, serviços de limpeza ou com os seus filhos sobre a hora do jantar; todas essas situações são negociações. Elas diferem em tamanho e escopo, mas o conceito é o mesmo.

- **Negociar pode ser sua profissão, mas é mais provável que seja parte de sua profissão.** Alguns negociam como meio de vida. O resto de nós – a maioria – precisa negociar para que o restante de nosso trabalho seja concluído.

- **Ganha-ganha é o caminho.** Quando os dois lados ganham e satisfazem alguns de seus objetivos, necessidades e desejos a partir da negociação, então o processo se torna mais rápido, fácil e geralmente melhor para todos. Quando um lado joga para ganhar tudo à custa do outro, gera um desconforto no curto prazo e prejudica o relacionamento de longo prazo.

- **As negociações devem ser "rápidas, amigáveis e eficazes" ("RAE").** Essa frase fundamental tem de descrever a maioria das interações em sua empresa ou organização – especialmente negociações e relacionamento com o cliente. "RAE" funciona melhor, leva menos tempo e produz resultados duradouros e fidelidade.

- **A contraparte não é o inimigo.** Quando a contraparte é percebida como inimiga, a negociação se torna muito mais negativa, antagônica, pessoal e egocêntrica. Quando você trata alguém como inimigo, ele faz o mesmo e a mentalidade ganha-ganha se perde para sempre. Eu uso o termo *contraparte* – não *oponente*, *adversário* ou termos semelhantes – ao longo do livro.

- **As negociações devem ser para o longo prazo.** Em última análise, a negociação trata de reputação (sua) e relacionamento (com a contraparte). Sem dúvida, você precisará negociar novamente em algum momento no futuro, e provavelmente com a mesma contraparte.

COMO O LIVRO ESTÁ ORGANIZADO

Tudo o que você precisa saber sobre negociação está dividido em seis grandes tópicos ou partes:

1. O básico sobre negociação, incluindo sua definição e importância, são abordados nos Capítulos 1 e 2.

2. A preparação, a "essência da negociação", é discutida no Capítulo 3. Os tópicos abordados incluem, entre outros aspectos, a pesquisa, conhecer suas contrapartes, preparar-se para a reunião, agendas e visualizar a negociação do início ao fim.

3. Os Capítulos 4 a 6 abrangem os estilos de negociação, estratégias, táticas, manobras, linguagem verbal e não verbal e defesas – desde os tipos preparados antecipadamente até os espontâneos no momento da negociação.

4. As armadilhas comuns da negociação e como evitá-las são objeto do Capítulo 7, enquanto o uso ou a defesa contra táticas de negociação de alta pressão é o assunto do Capítulo 8.

5. Os Capítulos 9 e 10 explicam como fechar e finalizar uma negociação. Os principais elementos da elaboração de um contrato também são tratados.

6. O Capítulo 11 conclui o livro reforçando a importância de aprender a cada negociação e de utilizá-la para melhorar tanto a sua reputação quanto o seu relacionamento de longo prazo, seja com suas contrapartes como com colegas de trabalho e gerentes.

Nas palavras imortais e implícitas da maioria das pessoas que já o fizeram: *negocie bem e prospere!*

Capítulo 1

O imperativo da negociação

Então você acha que não precisa negociar? A vida simplesmente segue em frente. Na empresa, negociar é trabalho de outra pessoa, certo? Para você, é só uma "discussão". E quando você chega do trabalho e tem problemas para resolver com sua família, isso também é apenas uma discussão. Certo?

Claro que não. Não importa o que você faça no acelerado mundo dos negócios (e pessoal) de hoje, todos os dias você se depara com coisas de que necessita ou que deseja. Não apenas coisas, mas também comportamentos e ações. Discutir? Sim, começa com isso. Mas você não está apenas discutindo – está fazendo uma transação. Está elaborando um *acordo*.

Este acordo pode ser no interesse de sua própria realização pessoal, da realização de seu grupo de trabalho ou de sua empresa como um todo. Você quer consegui-lo. Isso exige negociação. Especialmente se você precisar ceder algo – e a outra parte tiver de ceder algo – para se chegar ao acordo.

Em suas raízes, a negociação é a arte e a ciência – o processo – de conseguir o que você quer. Este capítulo descreve em mais detalhes o que é (e o que não é) a negociação, como ela se enquadra no atual contexto empresarial e organizacional, e o que atualmente é novo (ou não) a respeito de negociação.

O QUE QUEREMOS DIZER COM NEGOCIAÇÃO?

O que é negociação, o que significa e por quê

Digamos que você administre uma empresa de produção de vídeos: a Produções Cinematográficas. Por meio dessa empresa você faz alguns dos melhores vídeos de curta-metragem da cidade. Faz excelentes comerciais locais, vídeos de treinamento e conscientização para empresas e entidades sem fins lucrativos e, ocasionalmente, algumas tomadas com qualidade de cinema para produtores de filmes.

A empresa tem dois funcionários e uma série de prestadores de serviços que ajudam de vez em quando. Você contrata atores. Ocasionalmente contrata editores externos. Mas quando alguém lhe pergunta sobre suas habilidades de negociação, você ri. "Eu não negocio", diz.

Pense bem.

Você negocia, sim. Negocia com os clientes sobre contratos e trabalhos. Negocia com prestadores de serviços e funcionários sobre atribuições e preços. Negocia com proprietários de imóveis. Negocia com vendedores e locadores de equipamentos. Negocia o uso de adereços e locações de filmagem. Negocia com os departamentos de polícia para fechar as estradas e desviar o trânsito. Negocia o tempo de estúdio.

Você provavelmente passa mais tempo negociando do que filmando.

Você precisa de habilidades de negociação.

Agora suponha que, em vez de dirigir seu próprio negócio de produção, você realize serviços administrativos em uma grande empresa. Seu chefe e os membros do seu departamento fazem a maior parte da negociação "externa" com clientes e fornecedores – seu trabalho é apoiá-los.

Acha que não precisa de habilidades de negociação? Pode apostar que precisa. Você tem de negociar o tempo das pessoas. Tem de negociar salas de reunião. Precisa negociar com o vigia da noite para garantir que as anotações da reunião não sejam apagadas da lousa na sala de conferências. Negocia suas próprias férias e talvez o seu salário e outras formas de remuneração.

Você tem de negociar, e bem. Não apenas para executar as obrigações do cargo, mas também para evitar perder o controle do que está acontecendo em seu trabalho. Uma grande parte de suas funções gira em torno de negociação. Você faz isso o tempo todo.

E quando sai e volta para casa? Pensa que a negociação para por aí? Dificilmente. Você precisa negociar com os filhos para que façam a lição da escola e estejam em casa na hora do jantar. Tem de negociar com seu cônjuge sobre tudo, desde lavar a louça até decisões maiores, como o local das próximas férias em família.

Esses exemplos apenas tratam de negociações dentro de seu próprio mundo – seu trabalho, sua casa, sua família. O espectro aumenta consideravelmente quando você considera as negociações necessárias para comprar algo grande, consertar seu fogão ou conseguir fazer o melhor negócio em um plano de celular.

Cada um de nós negocia todos os dias. Não necessariamente o dia todo – mas bastante. É uma característica inevitável da vida de hoje.

DEFINIÇÃO DE NEGOCIAÇÃO

Eu sempre gosto de começar a abordagem de um tópico importante, neste caso a negociação, pela definição do termo e dando algumas dicas sobre o que "é" e o que "não é". Assim, aqui vão algumas definições, incluindo uma pessoal minha, para a palavra *negociação*. Também faço alguns comentários sobre cada uma delas:

- **Negociação é uma discussão visando alcançar um acordo** (*Oxford Dictionaries*). Esta é a definição mais simples e direta que consegui encontrar. Resultado final: um "acordo". Processo: uma "discussão". A definição abrange o básico e é um bom ponto de partida, mas não nos diz muito sobre a discussão ou o acordo.
- **Negociação é um diálogo entre duas ou mais pessoas ou partes com o objetivo de alcançar um resultado vantajoso** (*Wikipédia*). Aqui temos um pouco mais de "cor" tanto

na discussão quanto no acordo. A discussão é entre duas ou mais partes; o acordo é um "resultado vantajoso". Claro que isso levanta a questão: vantajoso para quem? Eu voltarei a esse tópico, mas indo direto ao ponto desde já: vantajoso para *ambas* as partes (ganha-ganha) é geralmente melhor.

- **Negociação é um processo de dar e receber entre duas ou mais partes, cada uma com seus próprios objetivos, necessidades e pontos de vista** (*Business Dictionary*). Ainda melhor. Eu gosto do "dar e receber". Isso é o que fazemos na discussão – ceder em alguns pontos para obter em outros, de um lado e do outro, de um lado e do outro, até que um acordo satisfatório, preferencialmente para ambas as partes, seja alcançado. Eu gosto da descrição mais detalhada sobre as partes e seus interesses – cada uma com seus "objetivos, necessidades e pontos de vista". É isso mesmo.
- **Negociação é ter uma discussão de dar e receber com outras partes, muitas vezes com interesses opostos, para conseguir algo importante que você quer ou de que necessita, ou para alcançar um objetivo** (minha definição). Minha definição um pouco mais elaborada abrange outros aspectos: "discussão de dar e receber" e "outras partes com interesses opostos". Acrescentei "para conseguir algo importante" – acho que esse é um pretexto importante, pois raramente vale a pena gastar energia para negociar algo que não é importante (uma "tempestade em copo d'água") – ainda que aparentemente as pessoas estejam dispostas a fazer isso o tempo todo! Não perca tempo; negocie quando é importante. O resultado deve ser algo que você quer ou de que necessita, ou a conquista de um objetivo. Você não deve negociar por negociar – o que ocorre com frequência. Negocie com inteligência, não apenas com frequência!

O OUTRO LADO DA MOEDA

O que a negociação *não é*

A melhor maneira de entender o que algo é, muitas vezes, é entender o que *não é*. Sob esse prisma vale a pena reservar um minuto para listar alguns "não é" a respeito de negociação.

Ao ouvir a palavra *negociação*, podemos evocar imagens negativas baseadas em eventos passados. Talvez nos lembremos de noticiários repletos de histórias e discussões violentas sobre negociações conflituosas, horrendas e até cruéis entre arquirrivais. Uma história poder ser a de um sindicato confrontado pela administração para acabar ou evitar uma greve; outra história, a de uma negociação para a libertação de um refém. Seja como for, episódios como esses não nos fazem querer exatamente nos envolver na negociação de algo. Na verdade, a maioria das pessoas provavelmente deseja se distanciar o máximo possível disso.

Mas nem todas as negociações são violentas, e certamente nem todas são assuntos de grande importância envolvendo sindicatos, reféns ou outros grupos belicosos. A maioria é bem mais inofensiva do que as que ocorrem nessas situações.

Com isso em mente, uma negociação bem planejada e bem executada *não é* nenhuma das seguintes situações:

- **Não é um confronto.** Sim, os dois lados podem ter diferentes pontos de vista, objetivos, desejos ou necessidades. Mas a discussão desses fatores deve ser calma, civilizada e factual – não um confronto "eu ganho, você perde".
- **Não é uma disputa.** Mesma ideia. Ambos têm algo a ganhar com a negociação.
- **Não é uma discórdia.** No entanto, a negociação pode desempenhar um papel na resolução de uma discórdia.
- **Não é uma gritaria.** Repetindo mais uma vez, a paz deve prevalecer. A negociação aproxima os dois lados, ao invés de separá-los.

- **Não é uma proposta ganha-perde (na maioria dos casos).** Uma mentalidade ganha-perde pode gerar mais vantagens hoje, mas é ruim no longo prazo, pois você se indispõe com a contraparte.

Uma boa negociação é um esforço pacífico e ponderado para chegar a um acordo sobre algo importante através de habilidades, estratégias e táticas de negociação bem preparadas e executadas.

Negociação – não tema!

Por ser percebida como de natureza conflituosa, muitas pessoas fogem da negociação como fugiriam do próprio conflito. Esse medo é genuíno. Mas assim como o medo natural de falar em público pode ser superado, existem maneiras de superar o medo de negociar e até mesmo de transformar esse medo em energia para obter êxito!

Os palestrantes de sucesso dirão que a melhor maneira de superar o medo de falar em público é a preparação. Domine o seu material, esteja preparado para o inesperado e aumente sua confiança por meio do conhecimento. Funciona sempre para os palestrantes, e os mesmos princípios se aplicam aos negociadores. Esteja preparado. Com preparação suficiente, ninguém (seu oponente comercial, funcionário ou filho adolescente) conseguirá lhe passar a perna.

Como disse John F. Kennedy em seu discurso de posse em 1961: "Jamais negociemos motivados pelo medo. Mas nunca tenhamos medo de negociar".

NEGOCIAÇÃO E O *FAST TRACK* NOS NEGÓCIOS

Acelere agora mais do que nunca

A negociação está ao nosso redor – não importa o seu papel no mundo dos negócios – e, como mencionado anteriormente, não acaba quando você chega em casa, vindo do trabalho. Embora o foco principal deste livro seja ajudá-lo a se tornar um negociador comercial mais eficaz, sempre vale a pena ter em mente que negociações acontecem o tempo todo fora do ambiente profissional e que as mesmas habilidades e estratégias se aplicam.

A negociação é parte fundamental da vida; essa é a realidade do mundo acelerado de hoje. Embora alguns possam pensar que a negociação envolvida em um projeto ocupe o tempo que poderia ser dedicado ao gerenciamento, na verdade, a negociação *faz parte* do gerenciamento do projeto. Na maioria dos projetos do mundo comercial de hoje, a negociação é uma parte cada vez mais vital do processo. Por quê? Vamos dar uma examinada.

A NECESSIDADE DE VELOCIDADE

Toda essa negociação tem de ser feita o mais rápido possível. Atualmente, os negócios, a tecnologia e os produtos se movem a uma velocidade estonteante. O mesmo acontece com seus concorrentes, e, se você não os acompanhar, ficará para trás. No caso da produtora de vídeos já mencionada, há uma janela de tempo muito estreita para negociar o acordo e um tempo limitado para preparar a produção. Não dá para gastar todo o seu tempo negociando. As negociações devem ser concluídas rapidamente para que você possa passar à produção do novo vídeo. Afinal, seu cliente tem prazos apertados para cumprir. Se as negociações empacarem, seus clientes começarão a procurar outros fornecedores e sua concorrência "cruzará primeiro a linha de chegada"!

Por essa razão, a maioria das negociações tem de ocorrer muito rapidamente – mais rápido do que nunca. Muitas vezes elas são realizadas em momentos estranhos do dia, pois executivos e funcionários estão permanentemente com seus *smartphones*. Hoje em dia, com frequência não há tempo para fazer reuniões presenciais com os envolvidos. Algumas etapas das negociações, se não todas, provavelmente serão feitas por e-mail, telefone, mensagens instantâneas ou até mesmo por SMS.

O objetivo de toda negociação é conseguir o que você necessita ou deseja o mais rápido possível, para que você e sua organização possam seguir em frente sem atrasos. No entanto, mesmo nesse ritmo acelerado, é preciso tomar cuidado com concessões ou omissões prejudiciais – ou com perder totalmente a oportunidade. O preço de ser lento é elevado; o preço de negociar mal pode ser ainda maior.

As táticas que você emprega vêm de uma variedade de técnicas tradicionais de negociação, todas aceleradas para conseguir o que, em termos ideais, é um resultado ganha-ganha. Mas mesmo quando a negociação foi concluída e os termos, acordados, ainda não terminou. Mesmo que esteja avançando em modo acelerado, é importante conseguir o que você quer, mas ao mesmo tempo preservar um relacionamento de longo prazo com a outra parte. Por quê? Porque sua esperança é vir a trabalhar com essas mesmas pessoas no futuro.

Por que tudo é tão rápido atualmente?

Não há dúvida de que no mundo de hoje a velocidade dos negócios aumentou. Isso não é apenas resultado de mensagens de texto, mensagens instantâneas ou outro meio de comunicação.

As mudanças na velocidade dos negócios são um reflexo de mudanças estruturais na natureza dos negócios e do próprio comércio. Considerando que vinte ou trinta anos atrás, poderia levar muito tempo – possivelmente, vários anos – para um produto passar do protótipo à comercialização, as empresas atualmente trazem produtos ao mercado muito mais rápido. As empresas precisam reagir a uma base de clientes que muda rapidamente, conectada à internet e que recebe informações na velocidade da luz. A tecnologia do computador e da conectividade desenvolvida no final do século XX veio para fomentar e impulsionar uma onda interminável de inovações e novas informações.

Isso gera um efeito bola-de-neve. Rapidez exige rapidez e, em breve, todos estarão tentando obter o mínimo que seja de vantagem competitiva perante a concorrência. "Publicar ou perecer" é um epigrama antigo no mundo acadêmico e se aplica também ao setor comercial. As empresas devem oferecer produtos competitivos mais rapidamente. Para preservar seu lugar no mercado, têm de ir mais rápido, e para ir mais rápido precisam negociar mais rapidamente. Isso acontece por toda parte.

Então, qual é o significado disso para você como empresário? Você deve ir mais rápido também. Deve negociar mais agilmente e fazê-lo de forma rápida, amigável e eficaz.

Se você não negocia de forma "rápida, amigável e eficaz", isso só retardará sua empresa no futuro.

NEGOCIAÇÃO E A NOVA TECNOLOGIA

Tudo está mais rápido

O advento da nova tecnologia e da conectividade permitiu uma comunicação mais rápida e eficaz do que nunca. Caso não utilize os mais recentes dispositivos tecnológicos para negociar ou fazer negócios em geral, você provavelmente ficará fora do circuito. A tecnologia também influencia o manual de negociação de outras maneiras, como:

1. **Permite pesquisa rápida e em tempo real.** A tecnologia nos deixa instantaneamente procurar fatos. Podemos pesquisar produtos e preços de concorrentes, canais de vendas, desempenho de produtos, avaliações de outras pessoas, exigências legais ou regulatórias, pesquisa de mercado e uma série de outros fatores pertinentes a uma negociação em um piscar de olhos. Você pode usar essas ferramentas de pesquisa com antecedência ou no momento da negociação. Tenha os fatos em mãos e saiba onde obtê-los caso não os tenha trazido. Estar preparado não é apenas mais fácil e mais importante do que nunca, é aquilo que se *espera* de você.
2. **Requer curvas de aprendizado mais curtas.** Juntamente com a obtenção de fatos, os dispositivos tecnológicos permitem que os participantes da negociação se tornem especialistas mais rapidamente. Além de usar a tecnologia para logo se inteirar de todos os pontos delicados de sua negociação, você também deve esperar que os negociadores do outro lado da mesa tenham feito o mesmo.
3. **Exige aprender a usar as novas ferramentas.** Caso realize negociações frente a frente, você perceberá que as tecnologias de hoje geralmente estão bem integradas com a maioria das salas de negociação ou locais de trabalho. Além disso, são excelentes ferramentas para compartilhar imagens ou documentos se você estiver negociando remotamente. Aprenda a

usar essas ferramentas; caso contrário, sua contraparte terá uma vantagem.

Até o Facebook pode ajudar

Por mais estranho que pareça, até sites de mídia social como o Facebook ou o LinkedIn podem ajudá-lo em uma negociação, se usados corretamente. Por exemplo, você pode saber mais sobre sua contraparte. Mesmo o fato de descobrir apenas alguns detalhes pessoais, como um interesse óbvio por esqui aquático, pode lhe dar uma plataforma para quebrar o gelo e estabelecer uma conexão.

É claro que ter um conhecimento sobre informações profissionais é sempre uma vantagem. Conhecer a experiência profissional de uma pessoa pode ajudá-lo a avaliar o que ela sabe ou não e o que ela traz para a negociação.

Além disso, você pode usar a internet para pesquisar comentários públicos sobre um produto ou serviço, seja através de um varejista que vende o produto (por exemplo, a Amazon) ou simplesmente usando uma ferramenta de busca tipo Google (por exemplo, "comentários de clientes do [produto X]"). Não só descobrirá o que pensam os clientes, como também poderá ver alguns comentários profissionais ou jornalísticos.

Você ficará surpreso com o que pode descobrir sobre as pessoas – e os produtos e serviços – de maneira fácil e rápida.

VOCÊ ESTÁ POR SUA CONTA!

É um mundo do tipo "faça você mesmo"

Uma das características predominantes de um local de trabalho nos dias de hoje é que – em grande parte devido aos avanços na tecnologia e na eficiência – mais do que nunca você enfrenta sozinho a tarefa da negociação.

Nos anos 1980, a maioria das pessoas, em qualquer tipo de empresa de médio ou grande porte, tinha ajuda para navegar pelas águas turbulentas dos negócios. Havia uma equipe de apoio. Secretárias, assistentes administrativos, pessoal de desenvolvimento de vendas, pessoas de contratos e até mesmo negociadores profissionais estavam no escritório ou nas proximidades para nos ajudar a pesquisar e desenvolver negócios. Nós determinávamos o que precisava ser feito, o que devia ser pesquisado, o que necessitava ser escrito e onde a reunião seria realizada. Alguém fazia o trabalho braçal.

Agora, certamente, tudo mudou. PCs, redes de contatos, e-mail, telefones celulares, mensagens instantâneas e correio de voz fizeram com que nos tornássemos nossas próprias secretárias. A internet nos transformou em nossos próprios pesquisadores e organizadores de reuniões. As empresas reduziram suas equipes de apoio ao mínimo. Como resultado, as tarefas de apoio foram transferidas para os que restaram. As hierarquias corporativas, embora ainda existam, são facilmente contornadas pela comunicação eletrônica.

O que isso significa? Significa que na maioria das situações você se tornou o seu próprio negociador.

NEGOCIAÇÃO – ESTÁ POR TODA PARTE

Não só devemos fazer nossas próprias negociações como a negociação tornou-se um modo de vida para a maioria das pessoas. Negociamos em nossos projetos existentes. Negociamos novos empregos, novos projetos, aumentos de salários, horários flexíveis de trabalho e planos de viagem. Negociamos com indivíduos e departamentos no local de trabalho, e com indivíduos e organizações de fora da empresa. É raro o dia em que você não está em algum tipo de negociação, seja com um funcionário ou supervisor direto, ou com alguém externo à sua empresa.

Grande parte de nossas negociações é com gente com quem raramente ou nunca negociamos antes. A negociação substituiu uma ordem hierárquica que já foi muito mais comum nas famílias e em nossas vidas pessoais. No mundo de hoje temos de negociar com nossos filhos. Temos de negociar com nossas escolas. Temos de negociar com várias pessoas em nossa vida financeira pessoal, incluindo outros membros da família.

Certamente, não apenas existem mais questões para negociar como todas essas negociações estão sendo realizadas de forma muito mais rápida. Seus filhos adolescentes negociam com você (embora possa não parecer uma negociação) usando seus celulares. Eles lhe enviam um link minutos antes mostrando o carro que querem comprar e Deus o livre se você não olhar antes da conversa. Você negocia quem vai pegá-los e quando.

Você é uma pessoa ocupada e por isso contrata serviços domésticos – limpeza, manutenção do jardim, e assim por diante. Há outra negociação. Sua mãe vem para uma visita hoje ou amanhã? Há outra negociação. É melhor você checar se vai chover ou não. Prepare-se (se puder) e responda agora.

Não apenas existem mais coisas para negociar e tudo ocorre mais rápido como também tudo muda mais rápido. Novas informações chegam mais rapidamente e são mais fáceis de se obter. O envio de mercadorias atrasará? Renegocie o prazo do projeto e renegocie o tempo e a disponibilidade das pessoas. Mudança de preço? Tem que resolver isso. O filho acabou de ser convidado para a casa de um amigo através de uma mensagem de texto? Negocie (provavelmente também por mensagem de texto).

Conclusão: se você é como a maioria das pessoas, hoje passa a maior parte do tempo elaborando algum tipo de acordo com alguém. É um mundo conectado. Como essas conexões são eletrônicas, elas funcionam em tempo real. Para lidar com este mundo, você precisa negociar em tempo real também, e fazê-lo de forma eficiente.

A DIFERENÇA ENTRE NEGOCIAR E VENDER

Sim, existe uma diferença

Você é novo na ideia de negociar. Foi contratado pela sua organização como engenheiro, um especialista técnico. Teve anos de formação para adquirir uma credencial técnica, porque não se via como vendedor. Mas agora foi convidado para uma negociação com o intuito de vender seu produto para um cliente interessado. Você pensa consigo mesmo: "Como cheguei aqui? Escolhi uma carreira com a intenção clara de evitar tornar-me um vendedor. Eu não sou bom em vendas, então por que estou aqui?".

A questão – e provavelmente você já imaginava – é que você não está vendendo. Você está *negociando*. Qual a diferença?

Em poucas palavras: vender é o ato de persuadir alguém a comprar seu produto ou ideia, enquanto negociar é o ato de elaborar os detalhes do acordo.

Em algumas situações você enxerga uma transição clara de uma fase para outra, mas em muitas, não. Como engenheiro da equipe, você pode ser envolvido nos estágios finais da venda fornecendo alguns detalhes técnicos, mas é mais provável que seja chamado para ajudar com os detalhes durante a própria negociação.

Uma boa negociação ocorre após a venda ser feita; ela não volta para a fase de venda. No entanto, como você sem dúvida já sabe, não é assim que as coisas funcionam no mundo real. Em muitos casos a contraparte chega insegura ou, pelo menos, age dessa maneira como uma manobra negocial.

Se os executivos de sua empresa lhe disseram que você nunca seria envolvido em vendas, eles provavelmente mentiram. Mas se você se concentrar na parte de negociação do acordo – e reconhecer a diferença entre negociar e vender –, será mais eficiente como membro da equipe e mais feliz com sua função.

PROFISSIONAIS QUE NEGOCIAM E NEGOCIADORES PROFISSIONAIS

Um *negociador profissional* é alguém que se especializa em negociações; 80 a 90% de seu trabalho é preparar e conduzir negociações em nome de uma empresa ou cliente. Ele é um especialista bem treinado e experiente nas estratégias e táticas de negociação. É um "especialista", geralmente mais bem preparado e experiente no processo de negociação do que no negócio, produto ou serviço em si.

Um *profissional que negocia* é alguém que tem um emprego em tempo integral em uma organização executando uma tarefa ou função, como marketing de produto, desenvolvimento de produto, suporte a produto, contabilidade ou algo assim. Essas pessoas podem ser convocadas para uma negociação formal e, claro, fazem muitas pequenas negociações ao longo do dia a respeito de tudo, desde a decisão do preço do produto até o tamanho de seu cubículo em um novo layout do andar. Elas negociam, mas o conjunto de habilidades e experiência de negociação de que dispõem é apenas acessório aos seus principais deveres e funções.

Com o imperativo da negociação e o contexto atual da negociação em mente, os próximos capítulos oferecem uma visão geral dos conceitos básicos de negociação, seguidos por estratégias, táticas e técnicas para o "dia do show" destinadas a torná-lo um negociador melhor, independentemente do contexto ou da velocidade da negociação. Algumas coisas mudaram e outras permaneceram as mesmas. O que se segue examina ambos.

Capítulo 2

Negociação – conceitos básicos

Talvez não tenha percebido, mas você vem participando do jogo da negociação durante toda a sua vida. Fazia isso quando criança e depois como adolescente. Negociava com seus pais sobre o tempo livre, o tempo de lição de casa e a hora do jantar. Negociava com seus amigos na troca de lanches na escola e quem seria o goleiro ou o centroavante nos jogos de futebol na rua. Continuou fazendo isso como adulto. Atualmente faz negociações "empresa-consumidor" para comprar um carro, um telefone celular ou um pacote de férias. Você faz negociações "consumidor-consumidor" para comprar ou vender coisas no OLX ou no Mercado Livre. E no trabalho conduz negociações "empresa-empresa".

Por tudo isso, consciente ou inconscientemente, você foi desenvolvendo habilidades e experiências essenciais de negociação. Não importa quem você seja ou de onde tenha vindo, vem praticando o jogo da negociação. É possível que seja melhor nisso do que pensa.

Embora aqueles dias de negociação de figurinhas carimbadas ou móveis de casa de bonecas possam ter ficado há muito tempo para trás na história, a prática e o compromisso da negociação provavelmente ficaram com você. E certamente se tornaram mais importantes do que nunca na vida que leva hoje. Este capítulo foi concebido para conectar suas habilidades inatas de negociação com alguns conceitos básicos sobre como o jogo da negociação é praticado atualmente. A ideia é colocar alguma estrutura em torno do que você já faz. Os capítulos subsequentes o ajudarão a construir sobre essa estrutura básica para que você possa completar seu conjunto de habilidades de negociação.

A HISTÓRIA DA NEGOCIAÇÃO

Do escambo para a mesa de negociações

Onde, como, quando e por que a negociação se tornou parte da sociedade civilizada? Na realidade, começou como escambo – a troca direta de mercadorias ou serviços sem o envolvimento de dinheiro ou outro item intermediário de valor.

Quando exatamente ocorreu a primeira troca na história da humanidade, não se sabe, mas sabemos que o escambo existiu por muito mais tempo do que a compra e a venda. Evoluiu para um sistema de dar e receber que acomodava qualquer um que optasse por participar. Fosse para adquirir um naco de cordeiro em troca de uma cerâmica ou para trocar joias por um capacete pintado à mão, as pessoas encontravam formas de satisfazer suas vontades.

O escambo é uma troca de mercadorias ou serviços sem o uso de dinheiro como item de valor ou equalizador na transação. O valor dos objetos ou serviços sendo trocados depende das duas partes envolvidas, e a negociação é a forma como as duas partes estabelecem o valor. Aquela negociação no início da história, como nas negociações de hoje, podia acontecer muito rapidamente ou levar dias, dependendo do grau de diferença entre as duas partes negociadoras, do tamanho e da importância do acordo, e da disposição das partes em trabalhar para encontrar o melhor negócio (correlacionado diretamente com sua importância).

O escambo era uma maneira de adquirir o necessário para a vida, mas foi mais do que isso: promoveu a quebra das barreiras de comunicação. Quando as pessoas se encontravam pela primeira vez, o escambo era uma forma de determinar quem era confiável e genuíno, e somente depois que expressassem a disposição mútua de negociar é que acontecia o diálogo entre as duas partes (isso também vale hoje, em especial porque grande parte de nossa interação ocorre no ciberespaço).

O escambo evoluiu lentamente para um arranjo financeiro primitivo em que vacas, ovelhas e outros animais eram utilizados como formas de moeda. Plantas, produção e outros itens agrícolas também serviram como moeda, tendo sido ultrapassados por metais preciosos, pedras e, finalmente, notas de papel.

Quando o dinheiro aparece em cena

Búzios – caracóis marinhos com conchas espessas e brilhantes salpicados com pequenas manchas – foram usados na China em 1200 a.C. como moeda primitiva. Eram amplamente utilizados e até se tornaram populares em lugares distantes como a África, onde algumas culturas os trocam até hoje. Os búzios são a moeda de mais longo uso na história. Nesta era moderna de cotações de câmbio em tempo real, ainda não temos ideia de quantos búzios equivalem a um dólar. No entanto, como fica evidente em uma rápida varredura no noticiário financeiro, a economia de hoje é movida pelo dinheiro, que é, de longe, o elemento mais importante da troca. Embora a maior parte do dinheiro atual seja eletrônica – ou seja, existe como um saldo bancário ou de algum outro tipo, eletrônico em vez de físico (notas de papel e moedas) –, ele ainda serve para a mesma finalidade: facilitar a troca.

DO ESCAMBO À NEGOCIAÇÃO

Quando as pessoas faziam escambo, na maioria das vezes conheciam os valores dos objetos que trocavam. Suponha que três cestas de milho valessem geralmente uma galinha. As duas partes tinham que ser convencidas para efetuar a troca, mas não precisavam se preocupar em definir o preço. Mas e se em determinado ano houvesse uma seca e não existisse muito milho para trocar? Então um agricultor com três cestas de milho poderia negociar para trocá-las por duas ou até três galinhas. Barganhar o valor de troca de algo é uma forma de negociação. Funciona quando se muda para um sistema monetário – você simplesmente negocia o valor de algo em troca de um dólar específico ou outro valor monetário.

Por mais primitivo que pareça, você provavelmente já viu isso pessoalmente. A forma como as pessoas barganham entre si variam de cultura para cultura, mas você sem dúvida já viu a troca acontecendo em uma venda de garagem ou em um mercado de pulgas. O vendedor lhe dá um preço, você dá ao vendedor outro preço e, no final, decide-se por um meio-termo ou você vai embora. Na maioria das vezes, o vendedor reduz o preço enquanto você aumenta o seu, até que ambos cheguem a um valor que não permite que nenhum dos dois ceda mais.

Um tipo diferente de barganha pode ser visto em um leilão, onde uma sala cheia de pessoas avalia os itens à venda e faz seus lances para aquilo que desejam comprar. Alguém dá um lance por um item. Outra pessoa dá outro maior. Outra entra fazendo um lance maior ainda. Os lances continuam até alguém superar todas as partes interessadas. Hoje milhões de pessoas procuram, postam, comercializam, trocam, fazem lances e compram qualquer coisa, desde brinquedos que tinham quando crianças até equipamentos esportivos assinados, no eBay ou em outros sites de leilões na internet. Se nossos ancestrais do comércio de ovelhas pudessem nos ver agora!

Barganhar é discutir preço

Se tudo o que fizéssemos se resumisse a trocas, provavelmente não precisaríamos de um livro inteiro para discutir a natureza da negociação. O fato de três cestas de milho equivalerem a uma ou duas galinhas era mais uma questão do que prevalecia no "mercado" da época do que da técnica de negociação empregada. Então o que aconteceu com o bom e velho escambo para merecer uma palavra mais chique – e dezenas de livros como este sobre o tema da negociação?

A diferença entre *escambo*, ou *barganha*, e *negociação* se resume à complexidade e ao processo. Embora os termos *barganha* e *negociação* pareçam sinônimos, existe uma diferença entre os dois.

A barganha, que é o equivalente hoje ao escambo, mas geralmente incorporando dinheiro, envolve a simplificação de desejos e necessidades em um único foco. Antes de entrar na venda de garagem de seu vizinho, você sabe que todas as etiquetas de preços escritos à mão não são imutáveis. Seu objetivo é conseguir o item desejado pelo menor preço possível. O objetivo do seu vizinho, por outro lado, é duplo: livrar-se da maior quantidade de itens possível e obter o máximo de dinheiro por eles.

Quando se trata de barganha, tudo se reduz a preço. Ambas as partes se concentram em tentar conseguir o melhor negócio para si. Nesse caso, o dinheiro é o ponto focal, e é aí que a guerra de preços começa: "Quanto?". "Um real." "Dou cinquenta centavos." "Oitenta centavos." "Sessenta centavos." "Sessenta e cinco centavos." "Fechado."

Quando um objetivo fica concentrado, é fácil perder de vista todas as coisas que poderiam ser importantes na discussão. No exemplo da venda de garagem, o preço assume precedência sobre a utilidade do produto. O comprador nunca para e pensa: "Se um minuto atrás eu achava que valia somente cinquenta centavos, por que agora eu acho que vale mais?". Embora o preço estabelecido tenha sido dividido igualmente ao meio, uma pessoa gastou mais do que pretendia e a outra recebeu menos dinheiro pelo item do que esperava receber. Então, quem fez um bom negócio? Ambos, de certa forma – o comprador ainda pagou menos do que o preço cheio, enquanto o vendedor recebeu mais do que a oferta original do comprador.

Dizem que algumas pessoas "são duras para negociar", significando que há pouca ou nenhuma chance de afastá-las da crença de que a oferta feita é justa. Não dá para barganhar com elas – elas estão convencidas de que sabem mais ou de que existe alguém que pagará o preço cheio. Assim nasce a mentalidade da loja de departamentos, em que a única maneira de pagar um preço menor é se houver uma liquidação.

Negociação é fechar um acordo "como um todo"

A negociação, por outro lado, trata da obtenção de um acordo ou da resolução de uma questão entre duas partes. Nem sempre tem a ver com preço, e mesmo quando o preço está envolvido, a negociação geralmente não se *limita* a isso. A negociação ocorre em todos os aspectos de um acordo. A entrega, prazo, questões complementares, o direito de negociar um futuro acordo e o *relacionamento* provavelmente estarão incluídos – e, em muitos casos, não há nenhuma transação financeira envolvida.

O JOGO DA NEGOCIAÇÃO

Estratégias e táticas

A negociação, conforme definimos no Capítulo 1, refere-se à obtenção de algo importante que você quer ou necessita. Trata-se de alcançar um objetivo através de uma discussão de dar e receber com duas ou mais partes. Pode facilmente ser vista como um "jogo" (com um resultado desejado e uma série de estratégias e táticas) e "movimentos" (executados consecutivamente para chegar a esse resultado).

A negociação tem começo, meio e fim, com uma estratégia e um resultado desejado imaginados antecipadamente. As partes podem fazer, e fazem, correções de curso, ajustes e outras mudanças de última hora para acomodar os movimentos da contraparte à medida que ocorrem. Em contraste com a barganha, o resultado em uma negociação é geralmente multidimensional – assim como as estratégias e táticas utilizadas para chegar lá.

Como em um jogo de xadrez, na negociação há muitas posições intermediárias possíveis que se pode atingir para chegar ao objetivo final. Seu sucesso depende de como você alcança essas posições e responde aos movimentos de sua contraparte – pois você não controla tudo. No entanto, como existem muitos pontos de negociação e objetivos multidimensionais, o negócio comercial é, de certa forma, mais complexo e complicado do que um jogo de xadrez. Além disso, há muito mais aspectos interpessoais e humanos na maioria das negociações.

Você não é um jogador de xadrez? Nada a temer!

É útil pensar na negociação como sendo um jogo, por exemplo, de xadrez, à medida que você a pratica. Mas, de novo, ao contrário e diferente do xadrez, geralmente não se trata de saber calcular bem para determinar o resultado, e sim de se comunicar e trabalhar bem com sua contraparte. Trata-se de como você satisfaz as necessidades de sua contraparte ao mesmo tempo em que cuida das suas. Diferentemente do xadrez, em geral é possível e sempre é desejável trazer a contraparte para o seu lado, para trabalhar de forma eficaz e amigável com ela. Portanto, para os que fogem dos cálculos frios e difíceis de um jogo de xadrez, há esperança! Em uma negociação, aqueles que tiverem boas habilidades interpessoais quase sempre superarão o jogador calculista de xadrez!

NEGOCIAÇÃO POSICIONAL E GANHA-GANHA

Embora várias formas de negociação sejam discutidas neste livro, as duas mais comuns são a negociação posicional e a negociação ganha-ganha. Em particular no mundo acelerado e fortemente conectado dos dias de hoje, desses dois tipos citados, você deve abraçar a negociação ganha-ganha como a abordagem mais útil.

Negociação posicional

A negociação posicional ocorre quando cada lado assume uma posição e hesita em ceder, ou ceder muito, para o outro. Cada lado está comprometido com seu plano de ação – preferencialmente, embora nem sempre, por um motivo comercial. Razões comerciais podem significar coisas como restrições de orçamento ou custo, restrições de projeto, necessidades específicas do cliente que devem ser atendidas e assim por diante. Observe que a parte "entrincheirada" tem uma justificativa comercial para isso.

Mas algumas vezes – na verdade, com muita frequência – um lado assume e tenta manter uma posição dura por motivos pessoais: ego, uma mentalidade de "ganhar a todo custo" ou de "ganha-perde", puro hábito ou, às vezes, só porque assumiu e manteve uma determinada posição com sucesso da última vez. É preciso sempre evitar a tentação de assumir e manter uma posição em uma negociação posicional por motivos pessoais – sempre se pergunte: "Existe uma razão comercial para fazer isso?".

Ao mesmo tempo, deve-se aprender a reconhecer tendências de negociação posicional contraproducentes da outra parte. Você pode ter conhecimento dessas tendências antes de entrar na sala ou constatá-las nos primeiros momentos da negociação. Será preciso pensar rapidamente assim que determinar a presença deste estilo de jogo. Você pode então "combater fogo com fogo" ou talvez, de forma mais eficaz, aproximar-se da outra parte e sugerir que ambas poderiam realizar muito mais, e de forma mais rápida, se os lados colaborassem para uma situação ganha-ganha.

Ganhar agora pode significar perder depois

Você pode ganhar algumas negociações no curto prazo com uma firme estratégia posicional do tipo "o vencedor fica com tudo". Mas é provável que perca no longo prazo, além de isso exigir mais tempo e energia. E seus oponentes serão forçados a também negociar para ganhar – jogando pela janela uma possível solução ganha-ganha.

Em negociações posicionais, os dois lados ficam tão concentrados em suas próprias necessidades que não conseguem compreender as da outra parte. Geralmente acontece uma luta pelo poder e as partes nunca chegam de fato a discutir suas metas e objetivos. Em consequência, horas são desperdiçadas tentando produzir acordos para agradar a todos. Além disso, a negatividade e a disputa podem comprometer os relacionamentos de longo prazo e tornar a negociação muito mais difícil.

Em resumo: não seja um "cara durão". Isso só dificultará as coisas e, no ambiente competitivo de hoje, suas contrapartes podem simplesmente desistir do negócio.

Negociação ganha-ganha

Em vez de uma negociação posicional, que acaba sendo um ganha-perde no final, você pode - e deve - tentar envolver-se em um estilo e estratégia do tipo ganha-ganha. Ganha-ganha significa que ambos os lados saem satisfeitos de tal modo que suas necessidades, ou pelo menos a *maior parte* de suas necessidades, são contempladas e atendidas. Quando ambos os lados saem com itens que querem e precisam, os acordos são feitos mais facilmente, levam menos tempo e preservam ou até mesmo melhoram o relacionamento entre as partes - algo importante nos negócios e também nas situações pessoais.

Ter êxito na negociação ganha-ganha significa ser bom em compreender e antecipar as necessidades de sua contraparte; também significa ser um pouco mais flexível com suas próprias necessidades e desejos, a fim de chegar a uma solução colaborativa. Atuar de maneira justa – sendo sincero e honesto sobre suas necessidades e suas respostas às deles – também é importante.

A negociação ganha-ganha é bem-sucedida porque todos entram no processo com uma atitude positiva, uma compreensão firme de como funciona o jogo e uma abordagem profissional para a situação em questão. Essa abordagem gera confiança, e onde há confiança surgem mais e melhores resultados na sequência.

Na maior parte dos casos, a negociação bem-sucedida começa com um objetivo ganha-ganha em mente. Em resumo, a negociação ganha-ganha é quase sempre uma maneira gratificante de fazer negócios. Não deve ser nenhuma surpresa que grande parte do restante do livro seja construída em torno da ideia de negociação ganha-ganha.

Concessões: a ferramenta essencial da negociação ganha-ganha

Você vai à padaria de seu supermercado. Quer quatro pãezinhos, mas eles só vendem pacotes de oito. O que fazer? Você pode pedir ao balconista do setor para tirar quatro pães do pacote e emitir nova etiqueta de preço. Nessa situação, você está pedindo uma concessão para a empresa com a qual faz negócios regularmente. O que oferece em troca é continuar fazendo negócios e ter uma opinião positiva sobre os serviços da empresa.

O que é uma concessão? É quando você cede às necessidades de uma contraparte, dando a ela um privilégio que geralmente não é dado a outras pessoas. Por exemplo, durante uma reunião de negócios, um executivo pede um corte de 10% nos custos de produção. O outro executivo concorda com essa concessão, mas pede algo em troca – poder contratar mais alguns funcionários ou prestadores de serviços. No clima atual de negociações rápidas, as concessões também podem ser feitas para ganhar tempo. Por exemplo, você pode concordar em pagar um preço maior ou aceitar uma entrega mais demorada se a contraparte renunciar a certos requisitos de aprovação para concluir a negociação mais rapidamente.

QUANDO ELES NÃO QUEREM JOGAR

Descubra a razão

Você quer fazer uma negociação para pavimentar seu estacionamento, consertar o telhado do seu prédio ou adquirir 5 mil circuitos integrados personalizados para incorporar ao seu produto. Entra em contato com seu fornecedor favorito, mas ele não retorna a ligação imediatamente. Você espera alguns dias. Ele não retorna seu telefonema. Você considera essa sua necessidade e a negociação como sendo bastante simples, e acha que tem um bom relacionamento com esses fornecedores e empreiteiros. Então, o que está acontecendo?

O primeiro passo é descobrir o motivo. Faça um novo telefonema, deixe uma mensagem, se necessário, perguntando simplesmente por que eles não estão se dispondo a negociar com você. Pode haver uma explicação simples. Talvez a contraparte não tenha tempo disponível para executar o trabalho ou até mesmo para negociar neste momento, mas estaria disposta a trabalhar com você em uma data posterior.

Se a razão permanecer indefinida, descubra o "o quê" ou "como". O que você pode fazer para que a sua solicitação de negociação seja mais atraente? O que você pode fazer para tornar a negociação mais rápida ou mais fácil? Pode acrescentar algum outro serviço para torná-la mais atraente? Pode ser flexível com prazos ou projetos para permitir que a contraparte trabalhe em outros projetos? Caso possa, é provável que consiga um acordo melhor. Se não, pode acabar se vendo no meio de uma negociação posicional – ou pior ainda, continuar sendo ignorado por completo.

Resumindo: não tem problema fazer ou sugerir algumas concessões logo de início. O seu objetivo é trazer a contraparte à mesa, e você quer trazê-los com um sentimento positivo.

SEPARANDO AS PESSOAS DO PROBLEMA

Suponha que você esteja apenas começando o que pode ser uma negociação tensa com uma agência reguladora do governo sobre exigências ambientais referentes à sua empresa. Você está agitado. Não vai ser bom, você pode sentir. E seu parceiro de negociação já está desprezando a contraparte como sendo um "bando de abraçadores de árvores que não merece um minuto de seu tempo". Você já se reuniu com essa equipe antes e a linguagem corporal, entre outras coisas, mostrava que os integrantes dela talvez também não se sentissem muito à vontade com vocês.

Há alguma possibilidade de essa negociação começar com o pé direito? Você será capaz de se ater aos fatos e problemas? Conseguirá manter o foco na tarefa? Terá êxito em desenvolver rapidamente uma solução ganha-ganha ao mesmo tempo que cria um relacionamento de confiança de longo prazo?

Provavelmente não, a menos que consiga separar as pessoas do problema e lidar com cada uma delas em sua própria esfera.

Um dos princípios centrais que permeiam a prática de uma negociação eficaz é a ideia de separar as pessoas – as emoções, percepções e inclinações pessoais inerentes a uma negociação (porque as negociações são feitas por pessoas!) – das questões reais que estão sendo discutidas.

Aqui vão algumas técnicas para lidar com as questões pessoais e impedi-las de solapar seus esforços para uma solução ganha-ganha do problema:

1. **Controle suas percepções (negativas).** Certo, os negociadores da agência ambiental não "vivem no mundo real" de administrar uma empresa. Mas não presuma que eles não estejam cientes do que seja esse mundo real. Se suas percepções negativas se mostrarem corretas – que eles são insensíveis às necessidades de sua empresa –, reserve um curto período de tempo para dar-lhes uma visão geral objetiva e factual sobre o que você faz e como as regulamentações ambientais tornam isso penoso.
2. **Perceba que eles provavelmente querem o mesmo que você.** No final das contas, eles também querem uma solução,

e rápida. Não querem gastar tempo e energia demais no caso, e provavelmente não pretendem lidar com os problemas do seu pessoal mais do que o estritamente necessário! Gostariam de sair com um acordo e um relacionamento.

3. **Pratique a empatia.** Os negociadores da contraparte são pessoas também, tentando ter sucesso em alcançar os objetivos sem muita dificuldade e sofrimento. Eles têm famílias para sustentar e outros afazeres, exatamente como você. Têm um trabalho a ser feito. Respeite isso e os ajude; e eles farão o mesmo.
4. **Faça intervalos.** Quando os treinadores de basquete sentem que as coisas estão ficando muito emocionais e pessoais, eles pedem um tempo para tirar as mentes dos jogadores do jogo em questão. Você pode – e deve – fazer isso também. Se sentir tensão ou conflito interpessoal, não deixe sair do controle. Em vez disso, faça um intervalo para que todos possam se acalmar. Melhor ainda, use a pausa para discutir algum assunto mais leve, como suas últimas férias ou o novo centro de recreação da cidade. Seja qual for o tema, o objetivo é estabelecer uma harmonia e reforçar o fato de que todos são "humanos".
5. **Mantenha a comunicação eficaz.** Ouça ativamente e fale quando for a sua vez. Não use linguagem dura ou intimidadora e não reaja nem responda à deles. Embora você possa colocá-los na defensiva no que diz respeito ao seu problema, não os coloque na defensiva em termos pessoais. Nunca menospreze ninguém, e, se eles o menosprezarem, simplesmente ignore.

Tudo se resume ao seguinte: sempre pense positivo e parta do princípio de que o copo do ditado está meio cheio quando se trata de trabalhar com pessoas. Ao conseguir fazer isso, você colocará os conflitos pessoais de lado e liberará sua equipe – na verdade, ambas as equipes – para lidar de forma mais eficaz com o problema.

Mais uma vez, a negociação está por toda parte

Em suma, todos negociam. Pais negociam com professores, maridos negociam com esposas, irmãos negociam com irmãs, advogados de defesa negociam com promotores, e assim por diante. Até as crianças exercitam uma forma de negociação. É engraçado como os adultos ainda fazem o jogo do "eu vou dar isso a você se me der aquilo", ainda que de uma forma mais sofisticada e refinada.

Embora possa minimizar essas negociações da vida pessoal, você provavelmente negocia muito se está em qualquer tipo de empresa ou ambiente profissional. Negócios são feitos, orçamentos são elaborados e dinheiro é gasto ou obtido por meio de negociação. Pontes são construídas, estradas são reparadas, edifícios altos são erguidos, transporte público é redirecionado e ruas recebem nomes – e durante todo esse tempo existe um grupo de profissionais negociando os detalhes desses projetos, apresentando suas ideias e estratégias para o respectivo gerente responsável, comitê de aprovação ou conselho de administração. Você pode estar disputando um contrato multimilionário para sua empresa ou um ingresso de R$ 150,00 para uma feira de negócios de que gostaria de participar. Os dois casos são negociações e requerem muito do mesmo conjunto de habilidades.

Em resumo, negociar é conseguir o que você quer. A negociação ganha-ganha é obter o que quer através da identificação de seus objetivos e dos objetivos de uma contraparte, e encontrar uma solução pacífica que deixe todos com o máximo de satisfação e o mínimo de tempo consumido. No mundo acelerado de hoje, o tempo é essencial. Felizmente, a informação em tempo real disponível na ponta dos dedos permite que encontremos esse resultado ganha-ganha mais rapidamente e com mais precisão do que nunca.

Capítulo 3

Como começar – preparação, preparação e mais preparação

Os palestrantes dizem que o segredo para o sucesso é a preparação. O conselho deles: "Prepare-se por uma hora para cada minuto da palestra". Por quê? Não apenas para dominar o assunto, mas também para criar confiança. Você se beneficia quando canaliza toda essa energia e nervosismo para desenvolver confiança. E então, ao fazer sua palestra, mostra-se "melhor" do que o público porque conhece o seu material.

E funciona. Esse mantra é facilmente transferido para o mundo da negociação. Esteja preparado e você dominará o seu material. Além disso, aparecerá como alguém que conhece o seu trabalho, o que é importante para obter o respeito e a colaboração de suas contrapartes.

Nunca é demais repetir: preparação, preparação e preparação. É sobre isso que este capítulo trata – o que, como e quando se preparar para uma negociação.

PREPARANDO O TERRENO

Preparando-se para o jogo

Descrevi a negociação como um jogo. Existem regras, mas além das regras existem as estratégias e as táticas para alcançar seus objetivos e fazer algo importante. Como em qualquer jogo, vencer é o objetivo, afinal é por isso que você entra em negociação. Mas ao contrário da maioria dos jogos, também queremos ver a contraparte vencer – um resultado ganha-ganha. Esse não é o principal objetivo de uma negociação, mas é uma *estratégia* importante. Permitir que a contraparte também ganhe é uma tática que nos ajuda a conseguir o que queremos e que auxilia todos a passarem pela negociação mais rapidamente.

Mas o resultado ganha-ganha não é a única estratégia, e nem de longe esgota o tópico das táticas. Como diz o ditado, o "diabo mora nos detalhes". Além de conhecer seu material, como bom jogador, você também deve ser capaz de visualizar seus movimentos – às vezes com vários movimentos de antecedência – para manter o jogo dentro de suas expectativas. Como em qualquer jogo, é melhor ter uma compreensão geral do todo para poder estar ciente do que acontece, ganhar e preservar sua vantagem.

Isso, por sua vez, requer preparação. Não se trata apenas das regras do jogo em si. Trata-se de desenvolver um profundo conhecimento sobre o que está em questão, o tema da negociação. Trata-se de conhecer os fatos, entender as nuances das "zonas cinzentas" e incógnitas em torno dos fatos, entender sua equipe, entender sua contraparte e até mesmo estar familiarizado com o próprio "terreno" ou local em que a negociação ocorrerá. Qualquer falha na preparação em qualquer uma dessas áreas pode criar um embaraço – que, por sua vez, pode gerar um ponto fraco que o seu oponente pode explorar.

CONHEÇA SEUS OBJETIVOS E A SI MESMO

Antes de fazer qualquer pesquisa sobre fatos, números e dinâmicas de uma negociação, é importante *visualizar* o que você quer com a negociação. Se estiver negociando um contrato de construção de ponte, você pode ter em mente um valor em real, com o respectivo tempo de construção, mobilização de equipe e outros detalhes para executar o serviço. Se estiver negociando com seu filho de 15 anos o fato de que cada membro da família deve lavar o seu próprio prato, você quer alcançar esse resultado, mas de uma forma positiva e cuidadosa – sem ressentimentos. O dimensionamento dessas "necessidades" e "desejos" serve para definir objetivos, que, por sua vez, tornam-se uma estrutura para a negociação.

Comece com o fim em mente

A essência é "ver" o resultado. Tente imaginar como seria um acordo finalizado e, então, trabalhe de trás para frente no processo de negociação, as idas e vindas, o dar e receber, até os fatos e informações que você levará à negociação. É claro que não dá para visualizar tudo, mas a visão o ajudará a organizar seus pensamentos e a se preparar melhor para cobrir as lacunas – o desconhecido – quando elas aparecerem.

Organizar seus pensamentos em torno de uma visão da negociação dará tanto à sua pesquisa quanto ao seu desempenho na reunião alguma direção e propósito. Isso proporciona foco. É sempre melhor começar com algo do que com nada, e quanto mais você tiver em mãos através da preparação, mais fácil a tarefa, mais suave o processo e maior a probabilidade de alcançar o resultado desejado – o objetivo final visualizado desde o início.

Por outro lado, caso você entre despreparado, inseguro e indeciso sobre o que espera alcançar em uma negociação, sua contraparte – especialmente se for um negociador experiente – aproveitará essa oportunidade para dominar a negociação e fará com que tudo gire em torno das necessidades dela. Além disso, por não ter certeza sobre os fatos ou o resultado final desejado, você ficará desarmado diante das muitas concessões que provavelmente serão exigidas.

Visualizando o resultado

Para ajudar a determinar o "final em mente" desejado, você pode começar a definir objetivos e estratégias fazendo-se as seguintes perguntas:

- O que espero alcançar na negociação?
- Qual é meu principal objetivo? O *melhor* resultado?
- Quais são meus objetivos secundários?
- Quais são minhas "necessidades" e meus "desejos"?
- O que pode impedir o meu êxito?
- Quais são os prováveis obstáculos específicos?
- Como eu posso superar esses obstáculos?
- Quais passos preparatórios que devo tomar para fazer com que a negociação seja rápida e bem-sucedida?

Obviamente essas perguntas são muito genéricas e podem ser modificadas de acordo com as especificidades da negociação. Mas representam um bom ponto de partida.

Mesmo a mais simples das negociações, como aquela com seu filho adolescente sobre lavar a louça, merece, em parte, esse tratamento. Pense nisso. Quais são seus objetivos e resultados desejados? O que atrapalharia uma negociação bem-sucedida? Quais são os prováveis obstáculos? Mesmo para uma negociação de cinco minutos (ou menos!), esse processo de reflexão pode ajudar muito.

Sobre o estabelecimento de objetivos – precisam ser realistas

Estabeleça metas realistas. Se um objetivo estiver muito fora do alcance, você sentirá que fracassou caso não o cumpra, quando na realidade o objetivo é que não era exequível. Um objetivo muito fora do alcance impede o resultado ganha-ganha. Por quê? Porque o seu oponente não pode oferecer nada bom o suficiente para o seu lado sem comprometer a posição dele. Também é importante ser o mais específico possível com seus objetivos para poder monitorar o progresso para alcançá-los.

CONHEÇA SUAS NECESSIDADES E DESEJOS

Um checklist importante

Quase toda negociação tem um objetivo ou objetivos principais e objetivos secundários. Os objetivos primários ou principais representam os primeiros itens que se deseja realizar ou alcançar na negociação; os objetivos secundários, que geralmente são em grande quantidade, são apenas isso: importantes, mas não tanto quanto o objetivo principal. Muitas vezes, são atributos do item que está sendo negociado como objetivo principal.

Seu principal objetivo deve ser a força motriz por trás de sua posição na negociação. Se você quer comprar um carro porque precisa de um meio de transporte para ir ao trabalho todas as manhãs, seu objetivo principal é comprar um veículo confiável. Os objetivos secundários dizem respeito ao conforto, características, aparência e preço. Os meios para atingir esses objetivos incluem a escolha de marca, estilo, modelo, novo *versus* usado e financiamento. Dentro desse conjunto de objetivos, você poderá priorizar o que é mais importante, confrontar isso com os meios e possíveis obstáculos, e utilizar esses meios e obstáculos previstos para solicitar concessões e/ou redefinir prioridades ou reformular os objetivos.

Por exemplo, se você prefere um carro azul, isso se torna um objetivo secundário. Pode ser um objetivo importante – uma "necessidade" – ou um "desejo". Essa prioridade, juntamente com sua prioridade para os outros objetivos, ajuda a determinar o *valor* deste objetivo em relação ao seu resultado. Se for um "desejo" menos importante, então acrescenta menos valor ao resultado potencial e, portanto, é algo com que se preocupar menos. Prepare-se para desistir de desejos menos importantes como parte de sua estratégia geral de negociação. Se for uma "necessidade" ou um "desejo" muito forte, então você precisa se preparar para dar em troca aquilo que você poderia abrir mão.

Isso parece meio óbvio, mas vi negociadores se digladiando por algo que não era realmente tão importante no grande esquema da negociação. Eles queriam um carro azul, mas valia a pena abrir mão de um fantástico carro usado em boas condições e com baixa quilometragem por causa da cor? No final, não. Mas com a perspectiva errada, uma negociação pode facilmente sair dos trilhos ou, pior, fazer com que você feche um negócio que realmente não deseja.

"Ver" o acordo antes de fechar o acordo

Se você entra na negociação determinado a comprar um carro azul, talvez não esteja "vendo" como o negócio poderia se desenrolar. Estar preso a um resultado pode colocá-lo em desvantagem. Em vez disso, expresse suas necessidades e desejos, mas não suponha nada ao entrar na negociação.

VISUALIZE A NEGOCIAÇÃO

Já falei sobre isso – a ideia de "ver" o resultado final do acordo; a ideia de começar com o fim em mente. Agora, amplio para a negociação em si. Aqui você tenta formar uma imagem mental do que realmente pode acontecer *durante* a negociação.

Visualizando como a reunião se desenrolará, é possível preparar-se melhor para as situações que possam surgir e estar mais bem preparado para responder a elas. Deixando sua imaginação correr solta, você tem a possibilidade de ver o que pode acontecer e de que forma responder. O fato de liberar o lado criativo de seu cérebro mesmo antes do estágio de preparação lhe dá a oportunidade de se preparar para o inesperado através do desenvolvimento de várias estratégias de proteção. Por exemplo, se visualizar que sua contraparte talvez traga especialistas para a negociação, você pode planejar a resposta a esse movimento.

CONHEÇA SEUS LIMITES E PONTOS FRACOS

Diante de um copo de água pela metade sobre a mesa, alguns naturalmente o veem como meio cheio e outros como meio vazio. A negociação se desenvolve bem com base na confiança – a capacidade de ser positivo, firme, forte e seguro sobre o assunto, porque você está bem preparado – quando você vê o copo como meio cheio. Mas parte da preparação para a negociação é também conhecer seus pontos fracos (vazios) e limites.

Ao visualizar a negociação, você deve fazer um inventário sobre quais partes do negócio podem ser difíceis de cumprir ou aceitar. Todos já passamos por isso tentando comprar passagens aéreas três dias antes de viajar, mas ainda buscando conseguir uma tarifa baixa. Esse prazo curto nos coloca em posição fraca para negociar, mas isso não significa que tudo está perdido; pode haver ofertas de última hora disponíveis.

Os bons negociadores têm ciência de onde estão os pontos fracos e tentam mantê-los totalmente fora da negociação ou minimizar sua importância. Também buscam alternativas: "Senhor, eu sei que minha loja está repleta de trabalho e que não consigo entregar essas camisetas bordadas na próxima segunda--feira, mas que tal terça-feira? Ou que tal uma versão impressa?". O ponto fraco do fornecedor, naturalmente, é sua incapacidade de entregar no prazo que a contraparte deseja; as alternativas oferecidas pelo fornecedor são sua tentativa de ainda assim fechar negócio. Observe que ele não ofereceu uma concessão no preço – ainda.

Limites – até onde você vai

Exatamente como em um leilão, é fácil se envolver no frenesi emocional de uma negociação e concordar com algo que você não faria sem a pressão do momento. É da natureza humana, e todos nós já passamos por isso. Você pode ter entrado em uma negociação preparado para gastar não mais do que R$40 mil por um carro, mas acabar gastando R$42 mil porque encontrou exatamente aquilo que queria e não conseguiu recusar. Se possui os R$2 mil a mais, tudo bem. Mas também poderia ultrapassar seu orçamento, causando algum constrangimento, sem mencionar concessões do seu lado caso seja forçado a voltar atrás.

A abordagem correta é estabelecer limites - mínimos, máximos - antes de entrar na negociação. Alguns desses limites, como os objetivos, são "obrigatórios" ou absolutos; alguns são objetivos, mas não são absolutos. "Eu não posso gastar mais do que R$40 mil" é um absoluto, enquanto que "eu realmente não quero um carro branco ou prateado" sugere que você aceitará um se o negócio for bom.

Limites estabelecidos antecipadamente podem ajudar a impedir que a contraparte descubra seus pontos fracos. Se você sabe que as camisetas bordadas não podem ser produzidas em menos de três dias e está preparado para comunicar isso durante a negociação, então sua contraparte pode nunca descobrir que o real motivo de não entregar em um dia é que sua loja está repleta de pedidos.

Estabeleça limites antes de entrar - e certifique-se de que todos em sua equipe os conheçam e os compreendam.

Não revele os pontos fracos!

Não deixe a outra parte saber seus limites – pelo menos não imediatamente. Deixar sua contraparte a par dessa informação desde o início pode fazer com que você pareça agressivo e intransigente. Caso você decididamente, positivamente, não queira gastar mais de R$40 mil nesse carro, talvez não deva revelá-lo imediatamente, pois pode perder um ótimo carro de R$40,8 mil ou outra concessão que o vendedor possa fazer. No entanto, se a contraparte se aproximar perigosamente dos seus limites, não hesite em dizer que você não pretende se comprometer nem ir mais longe nessas questões específicas.

PLANEJANDO E USANDO CONCESSÕES

Quando ceder um pouco de terreno

Parte do processo de preparação e visualização de uma negociação é ter uma ideia daqueles pontos em que sua contraparte poderia pedir para que você esteja disposto a ceder um pouco. Geralmente, são "desejos" e não "necessidades", ou são detalhes tangenciais sobre o item principal em questão.

À medida que visualiza a negociação, tenha em mente que a capacidade de ser flexível pode ser útil em algum ponto durante a negociação. Embora não queira facilmente desistir de qualquer um de seus objetivos ou comprometer seus limites, você deve manter a mente aberta sobre como pode ajustar seus pontos de negociação se isso significar que um acordo mútuo pode ser alcançado.

As concessões podem ser usadas como ajustes na negociação. As concessões são pequenos "dar e receber" para ajudar ambas as partes a chegar à melhor solução ganha-ganha; elas são *refinamentos* do acordo. Você pode considerá-las como minúsculos "prêmios" ou "regalias" a serem entregues aos poucos com sabedoria. Elas podem ser solicitadas ou recebidas trocando uma pela outra durante a negociação. Cada parte quer sair da sala sentindo-se satisfeita com as concessões acordadas. Caso tenha feito sua lição de casa – pesquisou, preparou, praticou e pesou alternativas –, você deve ter uma boa ideia de quais concessões se sente confortável em fazer – e quais se sente mais à vontade em pedir.

ESTRATÉGIAS E TÁTICAS DE CONCESSÃO

Ao planejar e fazer concessões, aqui estão algumas orientações estratégicas e táticas a serem consideradas:

- **A sequência é importante.** Se você antecipar várias concessões, apresente-as em ordem crescente de importância. Tirar primeiro as mais fáceis do caminho pode (1) permitir que você satisfaça sua contraparte com apenas essas "fáceis" e (2) permitir que você direcione a maior parte de seu tempo e energia para as mais importantes.

- **Quando apresentar concessões, faça isso com igual ênfase.** Exiba a mesma resistência para cada concessão, de modo que a outra parte não saiba quais têm mais valor para você.
- **Para cada concessão que fizer, peça uma em troca.** Por exemplo: "Eu darei um desconto se você der uma entrada maior".
- **Forneça as razões para as concessões solicitadas de modo que a contraparte possa entender por que você as está solicitando.** Por exemplo: "Eu gostaria de um desconto sobre o preço de etiqueta para poder efetivamente fazer os pagamentos mensais". Você obterá o respeito da outra parte se provar que não está pedindo algo somente para ver se consegue obtê-lo.

Alguns especialistas acreditam que você deve sempre fazer a primeira concessão. Ao tomar a iniciativa dessa maneira, mantém-se o controle sobre as mais importantes. Outros especialistas acham que deixar a outra parte fazer a primeira concessão permite que você leve o prêmio se eles fizerem uma oferta excessiva. No final, você desenvolverá seu próprio estilo de negociação, mas por ora vá com o que se sentir mais confortável. Táticas como essas (e muitas outras) serão discutidas mais adiante neste livro.

Lembre-se: pequenos sucessos ainda são sucessos

Na sua preparação, lembre-se sempre de que não é possível derrubar por nocaute toda vez que subir ao ringue. Todos os bons negociadores sabem disso, sabem também que vários socos – pequenas vitórias – podem resultar em uma grande vitória ao longo do tempo. Portanto, se a sua posição de negociação não for sólida, você ainda pode conseguir um monte de sucessos menores, muitas das necessidades e desejos de sua lista, sem obter tudo. É assim que o jogo funciona. Compre exatamente o carro que você quer, mas por R$2 mil a mais sobre o seu "objetivo" de preço. Nada mal, para a maioria das pessoas.

Martin Luther King Jr. disse melhor: "Se eu não puder fazer coisas grandiosas, posso fazer pequenas coisas de forma grandiosa".

CONHEÇA SUA CONTRAPARTE

Quem é, de que precisa, como atua

Palestrantes experientes dirão enfaticamente que um dos elementos mais importantes do processo de preparação é *conhecer e compreender o público.*

Por quê? Simples. Caso conheça o público, você pode saber melhor o que as pessoas estão procurando, o que necessitam de sua palestra e quais perguntas provavelmente farão. Caso esteja falando sobre oportunidades educacionais para um grupo de ambientalistas, não acha que eles vão querer saber mais sobre os cursos ambientais que você pretende oferecer? Claro que sim.

Sua contraparte, como você, entrará na negociação com sua própria lista de objetivos, necessidades e desejos. Se você a conhece, estará mais preparado para lidar com esses desejos e necessidades. Deverá haver menos – talvez nenhuma – surpresas.

Nunca é demais ressaltar a importância de conhecer sua contraparte antes de começar.

CONHECENDO-A PROFISSIONAL E PESSOALMENTE

Existem duas dimensões (geralmente) para conhecer uma contraparte. Em primeiro lugar, você deve tentar conhecê-la como *organização* – qual é o negócio dela, o que oferece, quais são seus pontos fortes e fracos, o que a torna bem-sucedida ou não. Em segundo lugar, deve conhecer as pessoas dentro da contraparte – quem são, que função desempenham na organização, que tipo de estilo de negociação utilizam.

Pesquisando a organização

Você pode pesquisar a organização de várias maneiras:

- **Pesquisar on-line.** Um passeio rápido pelo site da empresa dará uma boa ideia de seus produtos e de como estão posicionados

– preço, qualidade, serviço – e como eles fazem negócios com seus clientes.

- **Conversar com os clientes.** Se vocês têm os mesmos clientes, ou se você tem clientes "homólogos" em seu próprio negócio, não hesite em pedir-lhes mais informações e "detalhes internos". Se você administra uma lanchonete e está negociando com um fornecedor de serviços alimentícios, pergunte a outro colega gestor de um restaurante suas impressões sobre esse fornecedor.
- **Entrar no estabelecimento – figurativa ou literalmente.** Antes da negociação, faça uma visita pessoalmente para ter uma ideia de como a contraparte atua. Se estiver negociando um projeto de pavimentação, visite sem avisar uma das obras em andamento. Veja como funcionam e o que fazem. Se tiver alguém disponível, faça perguntas.

Esses métodos podem fornecer pontos de negociação tangíveis ou simplesmente dar uma percepção melhor sobre com quem (como organização) você está negociando.

Pesquisando as pessoas

Sua estratégia de negociação básica deve ser ajustada à estratégia e ao estilo de seu oponente de negociação. Se você já viu sua contraparte antes como indivíduo, estude seu estilo de jogo e aprenda o máximo possível sobre o motivo de ela investir tempo na negociação. Ao analisar os cursos, as realizações, a formação e o histórico de trabalho da outra parte, por exemplo, você pode prever melhor suas ações e estar mais preparado para lidar com elas.

Tente obter logo os detalhes de quais são os objetivos da outra parte, de modo que você possa avaliar suas vantagens em relação aos dela e ajustar seu plano de ação, se necessário. Você pode usar os primeiros minutos da reunião para discutir alguns dos objetivos compartilhados e não compartilhados.

Saiba o máximo que puder sobre o histórico da outra parte. Qual é o cargo dessa pessoa? Papel na organização? Experiência? Que tipos de contratos ela negocia? Qual é seu estilo de negociação?

Na atual era da informação, em frações de segundo, é possível descobrir dados adicionais sobre as pessoas mais rapidamente do que nunca. Google, Facebook, LinkedIn, além de suas próprias redes de contato, dão acesso a informações sobre sua contraparte. Você pode aprender muito sobre o caráter de um indivíduo e de uma organização só de observar a web e a rede de contatos.

Sempre fique de olho na concorrência

Não é preciso dizer no mundo dos negócios de hoje – e especialmente no mundo atual das negociações – que saber o que a concorrência faz ou pode fazer é uma parte vital da preparação para qualquer negociação. Em resumo: o que a concorrência faz? Que concessões faz e onde se mantém firme?

Na atual era da informação, é possível pesquisar on-line pontos de negociação e concessões com muita rapidez e facilidade. Mas você também pode usar um pouco a "sola do sapato" – saia e pesquise pessoalmente. Se administra um restaurante, faça uma refeição na concorrência de vez em quando (afinal, você provavelmente já deve estar cansado da sua própria comida!).

Descubra o que os seus concorrentes oferecem – preço, serviço e intangíveis – e como cada um se compara ao seu próprio produto ou serviço. Entenda também a concorrência de sua contraparte – isso pode até ser mais importante. Se você vende materiais de embalagem para um fornecedor de produtos eletrônicos, entenda não apenas a sua concorrência no setor de embalagens, mas também a concorrência que ele enfrenta no setor de eletrônicos. Como os concorrentes *da sua contraparte* empacotam os produtos? Sempre faça sua lição de casa sobre a concorrência de antemão, embora algumas possam ser feitas em "tempo real" durante a negociação, se você tiver acesso à internet.

CONHEÇA SUAS ALTERNATIVAS

A importância da BATNA (Melhor Alternativa a um Acordo Negociado)

Você está no meio da negociação sobre aumentar mais uma sala. De repente, as coisas tomam outro rumo e você não tem mais certeza se esse empreiteiro está entendendo o projeto. Talvez ele não compreenda o que você está querendo, o preço seja muito alto ou a data de conclusão esteja muito distante. Ele parece despreparado. O que você faz? Como avançar na negociação? Como você se preparou ou deveria ter se preparado antes da negociação para lidar com essa possibilidade?

Conseguir o que você quer – e recolocar uma negociação de volta nos trilhos – muitas vezes requer alternativas – um Plano B e talvez um Plano C sobre o que você fará caso o Plano A não se sustente. Neste caso, o Plano B pode ser um novo projeto com especificações diferentes. O Plano C pode ser outro empreiteiro.

Tais alternativas, que obviamente devem ser preparadas com antecedência, permitem duas coisas: em primeiro lugar, estabelecem suas expectativas para o que você pode obter e, em segundo lugar, oferecem trunfos para negociar ("Bem, sabe, o empreiteiro XYZ pode fazer isso até junho por mil reais a menos").

Ter uma ou várias linhas de ação alternativas é fundamental para negociar com sucesso; na verdade, isso lhe dará uma vantagem. Você precisa saber quais outras contrapartes estariam disponíveis para fazer o mesmo serviço, da mesma forma que você gostaria de saber quais lojas têm em estoque aquela TV de altíssima definição que você cobiça. As alternativas lhe dão a confiança para rejeitar ofertas e abandonar a negociação caso não esteja satisfeito com a maneira como as tratativas estão sendo conduzidas. As alternativas podem lhe dar poder de negociação.

Por exemplo, imagine que existe apenas uma concessionária em sua cidade e você precisa de um carro. Ficará decepcionado se suas negociações com o revendedor de automóveis não forem do jeito que você esperava. O revendedor está ciente de que a loja é sua única opção e, assim, ele detém todo o poder, aproveitando ao máximo a situação e não oferecendo nenhuma concessão. Em tais circunstâncias, você precisaria encontrar um carro alternativo para comprar ou visitar o revendedor da cidade mais próxima – ou não comprar nada (não fazer nada é uma boa alternativa em muitas negociações).

ESTABELECENDO UM PLANO B

Seja o que for que esteja sendo negociado, você deve ter pelo menos um Plano B tão benéfico quanto o plano original – caso contrário, seu esforço para avançar na negociação se transforma numa simples concessão e você poderá não se contentar com o resultado se o Plano A falhar. O Plano B deve ser cuidadosamente preparado sob a hipótese de que é, na verdade, um Plano A. A mesma quantidade de pesquisa, esforço e formulação de estratégias deve ocorrer para que você possa voltar à ação se o seu plano original falhar. Quanto mais alternativas concretas tiver na manga, mais segurança demonstrará diante da outra parte.

Usando alternativas em seu benefício

Sem dúvida, a outra parte trará um conjunto de alternativas à mesa. Vale a pena descobrir quais alternativas ela está considerando. Conhecer as opções oferecidas por sua contraparte permite avaliar o nível de confiança e a capacidade dela na negociação. Se ela não tiver opções ou se as opções apresentadas forem fracas, você estará em posição vantajosa. Pode usar essa vantagem para obter algumas concessões, mas, de novo, lembre-se da importância do resultado ganha-ganha e do relacionamento de longo prazo, caso pretenda negociar com esta contraparte novamente. Lembre-se também de que *você* pode não ter boas alternativas na próxima vez.

CONHEÇA SUA BATNA

Em seu renomado livro *Como chegar ao SIM* (1994), Roger Fisher e William Ury sugeriram entrar em uma negociação não apenas com um "resultado final" - o acordo mínimo que você se dispõe a aceitar –, mas também com um nível intermediário de sucesso em mente. Esse nível intermediário de sucesso passa a ser o padrão pelo qual você mede e compara o resultado final.

Fisher e Ury referem-se a esse padrão intermediário como Melhor Alternativa a um Acordo Negociado (*Best Alternative to a Negotiated Agreement*), ou BATNA. Veja como funciona. Ao entrar em uma negociação, tente visualizar o resultado final, como já descrevemos anteriormente. Você está prestes a negociar um aumento de salário e o mínimo aceitável é um reajuste com base na variação do custo de vida, digamos 2%. Esse é seu ponto de partida.

Você provavelmente se contentará com esse valor caso não consiga nada melhor. Sem uma alternativa predeterminada ou nível intermediário de aceitação, o que acontece? Muitos negociadores acabam se contentando com esse resultado mínimo aceitável porque é a única coisa que conhecem com certeza como padrão definido durante a fase de preparação.

Em vez disso, a ideia de Fisher e Ury é estabelecer uma BATNA - a melhor alternativa - como diretriz ao entrar na negociação. Pode ser uma alternativa explícita, como fazer uma entrevista e receber uma oferta para outro emprego antes de entrar na negociação. Ou pode ser um ponto estabelecido de "não aceitar menos" na escala salarial, muitas vezes com algum outro benefício envolvido (reembolso de estacionamento, uma sala individual ou algo do tipo).

A BATNA é estabelecida durante a fase de preparação. Você pode pensar em mais de uma alternativa se tiver tempo e capacidade para criar várias opções (uma delas deve aparecer como a "melhor"). Se você tem uma BATNA claramente estabelecida, é mais provável que feche o acordo em torno disso - e não o resultado mínimo aceitável. Você tem algo melhor com que medir a sua negociação e, em muitos casos, isso pode se tornar uma moeda de troca, como na alternativa de oferta de emprego.

Preparação rápida *versus* preparação completa

Muitas vezes, ou eu poderia até mesmo dizer na maioria das vezes, não há tempo para fazer a preparação completa que você acha que a negociação pode exigir. Você não tem tempo para pesquisar alternativas, comparar concorrentes, saber mais sobre suas contrapartes etc. E isso vale tanto em uma negociação complexa quanto em uma discussão com sua filha de 12 anos sobre a hora de dormir. Você não tem tempo para completar a tarefa toda.

É aqui que entra o Princípio de Pareto: a regra 80-20. O princípio, em poucas palavras, é que você investe 20% do tempo de preparação para completar 80% da tarefa. No escritório, você poderia fazer uma breve pesquisa de preços, da concorrência e uma avaliação da contraparte. Em casa, você pergunta à sua filha de 12 anos alguns "porquês". Vá mais fundo – tente obter pelo menos alguma informação sobre cada tópico e característica que pode influenciar a negociação. Então, se você tiver tempo, volte e acrescente mais concorrentes, mais níveis de preços, mais serviços extras, mais conhecimento sobre a contraparte. Elabore uma apresentação básica e depois vá acrescentando coisas. Essa abordagem bem equilibrada e iterativa do tipo "acrescente à medida que puder" fará com que você pareça mais preparado, e provavelmente estará. Como em muitas coisas nos negócios e na vida, trabalhe com inteligência, não apenas com esforço braçal.

A REUNIÃO EM SI

Como se preparar para o "dia do show"

As reuniões de negociações comerciais costumam ocorrer em um lugar físico, como uma sala de convenções ou de reunião, um escritório ou hotel, ou algum outro local definido. Atualmente, as negociações comerciais e a maioria das negociações pessoais podem acontecer em quase qualquer lugar, a qualquer hora, geralmente por e-mail ou telefone. A maioria das negociações mais importantes é planejada, mas muitas podem ocorrer espontaneamente, em movimento e em segmentos (alguns telefonemas e uma reunião, por exemplo). Onde quer que a negociação ocorra e seja qual for a sua forma, isso faz parte do seu processo de preparação.

Com negociações planejadas, existe a oportunidade para alguma estratégia e controle da reunião, incluindo local, horário e agenda. Com negociações não planejadas ou espontâneas, você ainda pode controlar a reunião, de certa forma (se quiser), simplesmente afirmando que não pode negociar agora – por que não fazer mais tarde em um horário e local de comum acordo?

ADMINISTRANDO A AGENDA

Preparar a agenda da reunião é uma maneira de controlar o ritmo e o timing do encontro, e isso o ajudará a manter o foco e (espera-se!) também manterá todos no caminho certo. A agenda em si é geralmente negociável com a contraparte; na verdade, isso pode ser um ponto de entrada crucial para a negociação. A agenda deve permitir a apresentação do que será negociado, a formulação de alternativas e o fechamento do acordo. Outras ações, como novas pesquisas para a construção do acordo, podem precisar ser inseridas.

Sequência, participantes, tópicos, resultados desejados, tempo previsto e tempo "livre", e até intervalos e almoços são elementos importantes da agenda. Esta deve direcionar a conversa para os objetivos que você deseja alcançar. Isso pode ser conseguido administrando a distribuição de tempo para apresentações factuais, discussões e estabelecimento de resultados desejados. Ao controlar a agenda, você controla o ritmo do processo, que pode avançar em sincronia com seus objetivos. Também é útil ser o moderador ou líder da discussão. Nesta função, você pode ajustar o conteúdo e o formato da reunião, geralmente em tempo real, para conseguir o que deseja.

A agenda é mais do que uma programação!

Você acha que não há necessidade de agenda em uma negociação rápida? Pense de novo! É útil ter uma agenda rascunhada mesmo para um simples telefonema ou discussão por e-mail. Isso faz a outra parte concordar sobre qual é o objetivo, quanto tempo será gasto em cada tópico e qual será o resultado desejado, mesmo que a negociação dure apenas alguns minutos. Uma agenda ajuda a manter as coisas no caminho certo e evita que você deixe itens importantes de fora. Também lhe dá algum controle sobre a reunião e, portanto, a negociação. Sempre pense em termos de estabelecer – e controlar – a agenda.

CONHEÇA O LOCAL

Muitas negociações complexas envolvem salas de reunião, apresentações e discussões. Como você pode imaginar, qualquer vacilo ou dificuldade em suas apresentações e qualquer ambiguidade nas compilações dos resultados da negociação pode ser prejudicial. Pior, esses problemas podem refletir mal em você e enfraquecer a sua reputação de negociador – mesmo que temporariamente.

Você deve preparar-se com antecedência para certificar-se de que entende como funciona todo o equipamento audiovisual e decidir antecipadamente como as anotações e decisões da reunião serão registradas. Terá alguém para fazer as anotações? Bloco de notas eletrônico e impressora? Um grande bloco de papel branco em um cavalete? Decida antes – não se atrapalhe quando a contraparte chegar.

Saiba onde estão os banheiros e conheça as senhas de Wi-Fi, configure os computadores ou equipamento de projeção com antecedência, se puder; deixe tudo pronto para começar.

Você ganha pontos por também ajudar suas contrapartes a instalar-se. Receberá crédito por ser alguém que trabalha em equipe e por destacar-se na negociação em si, e não porque eles não conseguiram sincronizar os laptops com o projetor da sala. Conhecer o local e ajudar suas contrapartes a instalar-se é útil para a negociação que está sendo feita naquele momento e para a sua reputação de longo prazo.

ESTAR PREPARADO PARA A PRIMEIRA TOMADA

Um estudo de caso da empresa Produções Cinematográficas

Você é o presidente, CEO e CVO (diretor executivo de vídeo) da Produções Cinematográficas, uma pequena empresa (na verdade, só você na maior parte do tempo) envolvida na produção de vídeos comerciais, principalmente para o mercado local. Você tem alguns ajudantes e associados contratados conforme a necessidade, e seu cunhado e seu pai, que fica em casa, ajudam de vez em quando com o trabalho administrativo para arranjar atores, locais e editar vídeos. Você tem uma série de outros fornecedores e prestadores de serviços, incluindo uma agência de talentos e um serviço de helicóptero à sua disposição para fotos aéreas, entre outros.

Você está tentando negociar com um grande cliente: Dewey & Cheatum Associados, uma empresa local de serviços financeiros. Eles gostariam que você produzisse anúncios e vídeos curtos para o site da empresa, exaltando as virtudes de seus serviços. Você quer assegurar um contrato regular interessante para filmar novos anúncios todo mês. Caso consiga "exclusividade" para esse trabalho, isso significaria uma receita adicional mensal de R$60 mil a R$80 mil, o que ajudaria muito para fechar o ano.

Mas você precisa ter sucesso na negociação.

Portanto, como aprendemos neste capítulo, isso significa, entre outras coisas, que você precisa:

1. Estabelecer bons objetivos.
2. Conhecer e entender seu cliente.
3. Avaliar alternativas e concessões que garantam pelo menos parte dos negócios para você com condições que sustentem sua empresa.
4. Estar preparado para o dia da negociação.

Segue-se um breve resumo do processo de reflexão pelo qual você poderia passar. Caso esteja fazendo isso de verdade, e com o objetivo de alcançar uma reflexão e uma documentação mais completa, você poderia trabalhar sozinho, com um sócio ou com um grupo de amigos durante um bom jantar ou lanche.

ESTABELEÇA OBJETIVOS

Principal objetivo: conseguir todo o negócio para a sua empresa; tornar-se o produtor de vídeo exclusivo da Dewey em seu mercado local.

Objetivos secundários: conseguir uma parte substancial do negócio; por exemplo, apenas os anúncios mensais. Construir um relacionamento de modo que eles o chamem para produzir uma vez, ou *ad hoc*, peças da empresa sem periodicidade fixa. Também pode querer ser procurado por eles quando tiverem novas ideias para a produção de vídeos curtos.

Objetivo mais amplo: conseguir o negócio em outras cidades e mercados. Além disso, você pode querer que recomendem seus serviços para os clientes pessoa física e jurídica deles, quando for o caso.

PLANEJE CONCESSÕES E ALTERNATIVAS

Os produtores de vídeo têm várias concessões de negociação ao seu dispor. Eles podem fornecer amostras grátis, ceder os direitos dos vídeos ou não, providenciar um serviço completo, incluindo seleção do local e treinamento dos atores – ou não. O prazo de produção e entrega é outro fator importante. Uma melhor alternativa, ou BATNA, poderia ser a utilização dos funcionários deles nas agências do banco em vez da contratação de atores profissionais. O vídeo não necessariamente precisa ser de alta definição. Pode até incluir uma parceria com uma firma que eles já estejam utilizando, se esta empresa trouxer à mesa de negociação recursos especiais que você não possui, e vice-versa. Pense grande aqui – você precisa estar pronto para montar um pacote.

Como negociador-chefe (assim como chefe de tudo o mais), você precisa saber quanto tempo, esforço e custo estão envolvidos em cada alternativa de sua lista. Faça a pesquisa antecipadamente. Prepare uma lista de opções, saiba o custo de cada uma e esteja pronto para responder imediatamente ao receber uma pergunta ou ouvir uma oferta de um concorrente através do negociador da Dewey. Seria útil ter esse cardápio de serviços em seu laptop ou em outro dispositivo. Também ajuda – e isso pode ser feito on-line – estar preparado para exibir algumas amostras de serviços fornecidos para outros clientes. "Para a ABC & Associados, eu fiz X, Y e Z por R$abcd...". Negociação rápida, amigável e eficaz significa ter todos esses números na ponta dos dedos.

CONHEÇA SEU CLIENTE

Pesquise seu cliente de alto a baixo – estrutura corporativa, trabalhos anteriores de propaganda e site, e indivíduos envolvidos (usando Google, LinkedIn, Facebook e outras fontes). Observe os anúncios e vídeos no site para sua cidade e outras cidades onde eles possam fazer negócios; tenha uma ideia de do que eles gostam. Faça perguntas para saber mais sobre a estrutura da organização. Como as decisões são tomadas? Os gerentes locais decidem sobre os serviços de fotografia ou existe uma equipe de marketing corporativo que toma a decisão? Tendo conseguido o serviço, quem trabalharia com você? Você terá um relacionamento diferente se estiver trabalhando com alguém de artes gráficas em vez do departamento de marketing, com um gerente de operações, um diretor de publicidade ou um webmaster. Aprenda tudo o que puder sobre as regras internas deles referentes à compra de serviços de marketing.

PREPARE-SE PARA A REUNIÃO

Conheça o local. Você terá acesso à internet durante a negociação para poder recuperar e apresentar amostras de imagens de vídeo ou preços de serviços anteriores? Conseguirá efetivamente mostrar seus vídeos? Haverá um projetor para conectar com seu laptop? Pode verificar se a conexão laptop-projetor funciona corretamente, antes da negociação?

Essas perguntas e questões conceituais referem-se apenas ao começo. Como você pode imaginar, o estágio de "preparação" pode ir muito além e exigir muito tempo. Mas lembre-se: um negociador preparado tem uma enorme vantagem sobre um negociador despreparado.

Com a preparação certa, haverá muitas "tomadas" nessa história.

Capítulo 4

Estilos e personalidades de negociação – seus e deles

No Capítulo 3, salientei a ideia de uma ampla preparação para qualquer negociação, abrangendo desde objetivos, necessidades e desejos, passando pelos detalhes do produto, preço e cenário competitivo, até conhecer sua contraparte e o local da negociação. Essa visão ampla lhe diz o que preparar; assim que a negociação estiver se aproximando, você deve se aprofundar nos detalhes dessas áreas, desde que o tempo e o acesso às informações permitam.

Ao tentar "ver o resultado", você perceberá que uma das principais variáveis é o estilo de negociação da contraparte – especialmente o do principal porta-voz da contraparte. A dinâmica interpessoal entre você e os membros de sua equipe – e o líder e os membros da equipe da contraparte – pode ter muito a ver com o resultado final.

Este capítulo é sobre "ver" o estilo de negociação com o qual você terá de lidar (e entender o seu próprio, não esqueça) e, então, entender como seus estilos se mesclam e como neutralizar as diferenças. Ou seja, óleo e água à mesa de negociação não trarão o melhor acordo ganha-ganha.

Neste capítulo, examinarei os prós e contras de sete diferentes estilos de negociação, darei algumas dicas adicionais sobre personalidades de negociação – os elementos constitutivos dos estilos de negociação – e concluirei com um resumo de como lidar com estilos e personalidades difíceis.

POR QUE O ESTILO É IMPORTANTE?

Os negociadores são pessoas, e pessoas são diferentes

À medida que você começa a internalizar as noções básicas de negociação (por que negociar, o que negociar, como dar e receber e como se preparar), também deve levar em consideração outras peças importantes do quebra-cabeça. Uma delas é *gente*. Não importa qual seja a negociação, a verdade é que você está negociando com pessoas. Existem negociadores de todos os tipos – com todas as personalidades, todas as experiências e todos os estilos. Podem ser negociadores profissionais ou profissionais negociando (você se recorda da diferença?). Podem ser pessoas iguais a você, mas muitas vezes não são nada parecidas com você!

Parte do processo de preparação envolve entender e reconhecer os diferentes estilos de negociação, personalidades e personas que você encontrará no mundo da negociação. Não apenas encontrará esses estilos, como provavelmente adotará um ou mais deles, dependendo da situação, de seus objetivos e de sua própria personalidade. No mundo atual de negociações aceleradas, você pode precisar reconhecer esses estilos muito rapidamente e através de meios relativamente impessoais, ou seja, não pela comunicação frente a frente.

Na sequência, identificarei sete "estilos" comuns de negociação que você encontrará com frequência à mesa de negociação, e um deles provavelmente descreve você também! Se alguém for um "intimidador", será que você consegue reconhecer isso logo nos contatos iniciais? Quanto mais rápido puder, melhor.

O INTIMIDADOR

Ele o tira do prumo

Os intimidadores mexem com as emoções. Empregam táticas que podem não parecer justas para você, pois tentam desequilibrá-lo e impedir que você pense com clareza. Querem que você sinta como se a negociação fosse pessoal - e se algo der errado, é por sua culpa. Eles o colocam na defensiva e tentam separá-lo do seu "eu" racional. Esperam que o seu ego ferido o impeça de olhar objetivamente para a negociação que se desenrola.

Isso é guerra psicológica? Pode apostar que sim! Os intimidadores se aproveitam de seu lado humano, concentrando-se menos no aspecto do negócio que você está colocando em discussão e mais no lado pessoal. Esperam que você faça qualquer coisa - dê qualquer coisa - para buscar a paz e restabelecer a harmonia na negociação, mesmo que isso signifique que seu lado tenha de ceder terreno. Esperam que você nunca recupere o equilíbrio; que ceda às demandas deles apenas para conseguir encerrar esta fase do acordo.

Lembre-se: um acordo feito mediante pressão e coação é provavelmente um mau negócio.

CARACTERÍSTICAS RECONHECÍVEIS

Se sua contraparte estiver gritando, batendo o punho ou jogando papéis na mesa, você está vendo um intimidador em ação. Essas pessoas são barulhentas, falam alto, fazem movimentos agitados e, muitas vezes, recorrem a palavrões para defender um argumento. Elas interrompem constantemente. Repetindo mais uma vez, elas estão tentando fazer com que você se concentre nas palhaçadas para impedi-lo de pensar com clareza, distraí-lo e fazer com que você perca sua linha de raciocínio, especialmente quando não gostam do que estão ouvindo ou quando não estão conseguindo o que querem. Elas querem que você passe do modo "negociador racional" para o modo "agradar às pessoas", mudando de "conseguir o que você quer" para "satisfazer as necessidades *delas*". Não siga por esse caminho!

Os intimidadores fazem exigências, não sugestões ou pedidos. Em vez de aceitar que sua proposta é uma solução viável que beneficia os dois lados, eles dizem que se sentem insultados por uma oferta que não seja no mínimo exatamente aquilo que exigiam desde o início. Podem começar a gritar de novo e até mesmo falar uns palavrões para dramatizar um pouco mais.

Os intimidadores o pressionam e tentam amedrontá-lo ou incomodá-lo com ameaças. Eles podem ameaçar interromper a negociação toda, trazer alguém da alta gerência ou retirar a integralidade de sua oferta. Quase sempre esses comportamentos são blefes; você deve considerá-los como sendo exatamente isso, blefes.

Saiba que nem todos os intimidadores são barulhentos e tempestuosos. Alguns podem adotar uma abordagem tranquila, manipulando-o astutamente com uma insolência pouco reconhecível, embora incisiva. Essa manobra pode até ser transmitida mais pela linguagem corporal do que por um antagonismo verbal. Condescendentes por natureza, eles sabem como irritá-lo com apenas um olhar, gesto com a mão ou piscar de olhos. Eles podem não o intimidar com táticas de medo, mas agir como se estivessem muito acima de você em todos os sentidos.

Qualquer que seja a abordagem, o intimidador pode estar apenas sendo indulgente com o seu tino comercial. Mas quando um intimidador também trata com indulgência sua pessoa - cuidado!

Contrapondo-se ao intimidador

A melhor maneira de se defender contra os intimidadores é evitar descer ao nível deles. Fique calmo, focado e no controle. Quando o intimidador começar a levantar a voz, mantenha a sua em um tom uniforme. Não exibir nenhuma emoção e falar sobre a sua empresa mostra a eles que você não morderá a isca. Você é um profissional e seu objetivo é chegar a um acordo, não entrar em uma briga.

Lidando com o intimidador na política presidencial

No final de 2016, a tática do "não se alterar" estava claramente sendo mostrada no primeiro debate da campanha presidencial do outono de 2016. Donald Trump vociferou, demonstrou emoção e até usou linguagem corporal e um posicionamento de palco irritante e, por vezes, agressivo para sua contraparte, Hillary Clinton. Mas ela não recuou e simplesmente continuou falando sobre suas propostas. Isso o irritou e ele passou a exibir ainda mais esse comportamento – o que, junto a outras coisas, deixou uma impressão negativa nos eleitores e fez com que ele "perdesse" esse primeiro debate.

Como descobrimos pelos resultados da eleição, contrapor-se ao intimidador pode nem sempre garantir a vitória no final. No entanto, colocar-se acima da fanfarrice pode ajudar muito ao longo do processo.

Nunca grite nem use linguagem abusiva. Isso só aumenta o conflito e o afasta da questão em debate. Procure ficar calmo, focado e no controle. Evite o envolvimento emocional e trabalhe para trazer o foco de volta para os assuntos em discussão. Faça perguntas abertas para evitar ser ignorado com simples respostas de sim ou não. Seu objetivo é forçar sua contraparte a falar sobre os problemas, os reais motivos pelos quais vocês estão lá. Ao agir assim, o intimidador pode se acalmar e perceber que você não está entrando no jogo dele.

Caso ele tente intimidá-lo ameaçando abandonar a negociação, procure medir o quanto essa ameaça é séria. Ofereça algumas concessões não fundamentais – ou pergunte com franqueza o que ele pretende fazer caso desista da negociação. O objetivo é pagar o blefe. Se ele deixar a mesa de negociação como tática de intimidação, lembre-se de que ele provavelmente voltará se a sua posição for sólida – e ele estará mais fraco em consequência do blefe. É uma aposta da sua parte, mas provavelmente vale a pena arriscar para neutralizar a intimidação.

Tal como na maioria das negociações que azedam ou ficam desconfortáveis, é útil fazer um intervalo para reagrupar e esfriar as emoções. Você mesmo se acalmará e provavelmente diminuirá o barulho de seu oponente, principalmente se for apenas uma manobra. Pode até perguntar à sua contraparte, sem rodeios, durante a pausa: "Por que você está irritado e se mostra tão difícil de conversar? Podemos concluir o acordo de forma muito mais rápida e eficaz se simplesmente nos tratarmos mutuamente como iguais e tivermos uma conversa produtiva". É fácil presumir que essa tática funciona tanto nas negociações comerciais quanto nas pessoais.

O BAJULADOR

Positivo, complementar – e hipócrita

Da mesma forma que o intimidador, o bajulador se concentra mais nas suas emoções do que em fatos e na lógica. A diferença: o bajulador procura o lado pessoal ao rechear a negociação com comentários positivos, mas insinceros. A ideia, mais uma vez, é obter uma resposta emocional, desviando-o dos fatos e fazendo-o perder o prumo.

O bajulador atua com a premissa (muitas vezes correta) de que todo mundo gosta de receber elogios, de modo que procura inflar o seu ego. Você pode ouvir comentários incrivelmente positivos sobre seu estilo de negócios, seu produto, sua equipe, sua empresa ou até sua aparência pessoal. Quando um vendedor de automóveis disser que você fica bem dirigindo determinado carro, receba o elogio com um pouco de cautela.

O objetivo desse afago ao ego é apelar para o seu lado emocional, dando-lhe uma falsa sensação de realidade e até mesmo de segurança. Por exemplo, o bajulador pode tentar fazer você acreditar que está em vantagem – que está "ganhando" a negociação –, então por que não "dar um alívio" e oferecer algumas concessões menores?

CARACTERÍSTICAS RECONHECÍVEIS

Como o bajulador tenta tornar a negociação mais pessoal do que profissional, você pode ver muitos sorrisos e elogios logo de cara. Durante a negociação, sua contraparte pode dizer algo como: "Eu sei que não vou conseguir enganá-la, Amanda, e por isso estou desde já abrindo o jogo com você". A esperança é que fique tão lisonjeada pelo reconhecimento de sua experiência e de suas habilidades de negociação que você passe a desfrutar da glória, se torne complacente e, por fim, perca sua vantagem na negociação.

Fique de olho na expressão do rosto

Como o excesso de adulação é uma forma de desonestidade, sua presença pode ser um bom indicativo para saber se o outro lado pretende mesmo cumprir a parte dele do acordo. Tente reconhecer padrões de fala e expressões faciais quando a declaração lisonjeira for feita – e compare esses padrões com o que você vê quando a contraparte concorda com um de seus pedidos.

Nunca subestime a capacidade da linguagem corporal, das expressões faciais e da fala para saber o que realmente está acontecendo.

Quando a outra parte o transforma no assunto principal da discussão, passa a ser um desafio se concentrar nos detalhes das questões que vocês estão tratando. É fácil ser sugado por toda essa bajulação, sem falar da linguagem agradável e não conflituosa. Todos nós gostamos de ouvir coisas legais sobre nós mesmos. Mas você deve se concentrar no seu propósito dentro da negociação, que é alcançar objetivos comerciais (ou pessoais) em uma abordagem ganha-ganha – não ter seu ego afagado.

Contrapondo-se ao bajulador

O primeiro passo, e mais óbvio, é reconhecer a bajulação e assumi-la pelo que realmente significa. O bajulador, como o intimidador, é um especialista em explorar suas emoções. Essa abordagem não é apenas um estilo, mas um hábito. Sua reação deve ser a mesma que para com o intimidador: redirecione o foco de volta para as questões em discussão. Interrompa e redirecione a conversa ou até mesmo comece a fazer anotações, pois isso mostra à contraparte que você quer negociar. Fique calmo, ignore a bajulação e não deixe isso frustrá-lo. Redirecione fazendo perguntas abertas que forcem sua contraparte a falar sobre os detalhes da negociação.

Outra tática defensiva é mudar seu tom de voz para o de total indiferença. Não use inflexões nem interponha qualquer personalidade em sua fala. Se você projetar uma imagem férrea e sem emoção para a outra parte e se recusar a reagir à adulação, a contraparte acabará percebendo que você não está sucumbindo às táticas dela.

Ainda outra estratégia é envolver um terceiro, seja alguém presente na negociação ou trazido de fora para a tarefa. Convocar um gerente ou especialista pode ajudar – tira o foco de você e, de novo, redireciona a negociação para fatos e resultados. Quando se sentir lisonjeado por um vendedor de carros, é hora de trazer seu cônjuge ou filho mais velho para dissipar a bajulação. Nos negócios, trazer um terceiro, especialmente um gerente ou outro chefe hierárquico, pode ajudar muito.

Além de deixar que a bajulação o tire do rumo, a pior coisa que você pode fazer é devolver a lisonja. Não siga por esse caminho. Se o fizer, isso o envolverá em um pacto de admiração mútua e abrirá as portas para mais bajulação e negociações ainda menos sérias. Não faça isso.

O SEDUTOR

Magia através do charme?

Você definitivamente já passou por isso antes – se não na vida profissional, certamente em sua vida pessoal. O sedutor faz a magia através do charme. Ele pinta uma imagem perfeita para você e descreve tudo exatamente como você quer ouvir. Mas o diabo mora nos detalhes – quando você começa a questionar, a ilusão magicamente desaparece. A imagem ideal que você tinha em mente, pela qual pode ter acabado de fazer uma concessão, desaparece à medida que você descobre mais detalhes.

Você está prestes a receber um novo cartão de crédito para adquirir esta oferta especial e 10% de desconto no equipamento de *home theater*? Parece uma boa ideia e uma boa concessão por parte da loja de produtos eletrônicos. Ao que tudo indica, é um acordo ganha-ganha. Somente depois de passar pelo caixa é que você descobre que o desconto vem como cupons de crédito que você deve usar na compra de outros produtos, e não nesse *home theater*. O vendedor/negociador fez do desconto uma parte central do negócio, mas acabou puxando seu tapete. Você foi seduzido.

CARACTERÍSTICAS RECONHECÍVEIS

O sedutor é astuto e, por vezes, antiético, e faz ofertas e concessões atraentes para você durante todo o processo de negociação. Uma vez que o tenha fisgado, ele vai enredá-lo dizendo o que você quer ouvir – geralmente com meias verdades. “Você terá 10% de desconto” – mas não é um desconto, é um crédito para sua próxima compra. Assim que você assume o compromisso, ele aponta para as letras miúdas e aí começa a surgir o acordo que realmente foi oferecido.

O sedutor pode culpar o “sistema” atrás dele. Você ouvirá desculpas como “a papelada está sendo finalizada”, “meu gerente ainda não autorizou”, ou “estou esperando o parecer de meu advogado”. O acordo pode ser acelerado – ou retardado – para atender ao objetivo dele. Ele pode acelerar o processo para tirá-lo da loja antes que você perceba ou pode retardar distraindo-o com algum outro detalhe, um telefonema ou contingência de modo que, mais uma vez, você não note a mudança na promessa. Quando a contraparte parecer estar deliberadamente acelerando ou retardando, tenha cuidado.

Contrapondo-se ao sedutor

Proteger-se contra o sedutor é simples: não aceite a proposta. Faça com que a proposta sedutora pareça pouco importante ou irrelevante: "Eu estava pretendendo pagar mesmo em dinheiro". Se for tarde demais e o acordo tiver sido feito, reveja a negociação e envolva uma autoridade maior – um advogado, um gerente ou alguma outra pessoa. Até mesmo a ameaça de fazer isso pode neutralizar a contraparte. Ela pode retirar o elemento sedutor por conta própria. Se você reconheceu os sinais logo no início, simplesmente abandone a negociação e busque alternativas.

A pesquisa pode ser sua melhor amiga aqui. Quanto mais descobrir sobre a parte com a qual está lidando nas negociações, maiores serão as suas chances de identificar logo um sedutor e cair fora. Se você fizer compras de produtos eletrônicos, por exemplo, uma análise do site da loja ou uma navegada pelos anúncios semanais pode indicar os tipos de transações que você talvez ouça do vendedor.

Caso decida continuar a negociação com o sedutor, certifique-se de ser informado sobre todos os detalhes do negócio proposto. Faça muitas perguntas. Saiba o que está obtendo e como. Os fatos neutralizam o sedutor, como acontece com muitos outros tipos de negociadores que apelam para suas emoções. Tome notas quando necessário. Isso mostra ao sedutor que você está prestando atenção em cada palavra.

Finalmente, seja cético. Um pouco de ceticismo saudável nunca é demais em qualquer negociação.

O QUEIXOSO

Trabalhando o ângulo da culpa

Embora o queixoso não seja tão enganador e desleal como as outras personalidades tratadas até agora, ele ainda pode minar a negociação. O queixoso é geralmente um negociador inseguro – ou um mestre nesse estratagema – que realmente quer ser ouvido e compreendido. Uma vez tendo a chance de ser ouvida, essa contraparte se torna mais razoável e mais agradável para trabalhar.

CARACTERÍSTICAS RECONHECÍVEIS

Os queixosos são bem-sucedidos quando fazem com que você se sinta mal a respeito do que está pedindo, precisando ou desejando de uma negociação. Eles o induzem a se sentir culpado, motivando-o a moderar seus pedidos para mantê-los felizes.

Os queixosos às vezes se mostram negociadores posicionais, não negociadores ganha-ganha (ver Capítulo 2). Isso porque não parecem olhar além de suas próprias necessidades. Eles podem parecer não estar dispostos a desistir de suas próprias posições, mas na realidade estão buscando que você proponha o acordo que faça com que eles não se queixem mais.

Você talvez escute afirmações do tipo: "Como você pode esperar que eu lhe dê uma garantia gratuita quando já está me pedindo um desconto?" ou "Você não tem ideia de como é caro produzir com esses tipos de modificações que você está solicitando", ou "Vou ser demitido se eu concordar com *esta* oferta". Se ouvir atentamente, há um grito de socorro oculto nessas frases.

Quando os queixosos começam as afirmações com "como você pode" e "você não tem ideia", eles realmente querem que você recue um pouco e os ajude. Podem usar uma aparente fraqueza – se o estratagema funcionar – e transformá-la em um ponto forte, cedendo assim menos do que provavelmente teriam de fazer.

Contrapondo-se ao queixoso

Você precisará de um bom ouvido e de um coração sensível para se proteger do queixoso. Caso enfrente a situação com a quantidade certa de paciência e compreensão, conseguirá passar pelas queixas e pela aparente posição entrincheirada. Poderá então ajudá-lo a perceber que um acordo ganha-ganha pode estar ao alcance, o que, por sua vez, pode acalmar os medos e reclamações. Ele quer sua compreensão, e talvez você possa dar-lhe isso sem ceder demais.

Não escute apenas – escute ativamente!

Não importa a negociação, e não importa o estilo de negociação, seu trabalho não termina simplesmente por estar lá, ouvindo, ou mesmo ouvindo passivamente. Você deve escutar ativamente. Repita com outras palavras alguns dos principais pontos da contraparte para mostrar empatia e uma compreensão correta da situação. Se estiver conduzindo a negociação por e-mail, repita partes do e-mail ao responder para mostrar que você leu e entendeu a mensagem inteira.

A escuta ativa é especialmente eficaz com o queixoso, mas funciona bem em todas as esferas da negociação. Se você escutá-los ativamente, eles estarão mais propensos a escutá-lo ativamente. Você chegará ao resultado ganha-ganha muito mais facilmente.

Assim que os queixosos começarem a externar suas preocupações, escute-os. Ouça cada palavra que eles dizem e incentive-os a falar mais. Acene com a cabeça, faça contato visual e use gestos com as mãos para que eles saibam que você está realmente ouvindo. Escute ativamente, reforçando: “Entendo” ou “Isso é compreensível” como reconhecimento verbal. Uma vez que a contraparte fale tudo o que tem a dizer, a carga se reduz e ela relaxa. O mais provável é que reaja bem às suas necessidades, para que as queixas e visões negativas dela sejam resolvidas.

Quando terminar de ouvir os pontos de vista do queixoso, faça mais perguntas para voltar lentamente aos detalhes da negociação. Você pode até oferecer uma concessão, algo pequeno que tenha guardado para mais tarde ou com que pode se permitir ser flexível. Mostre aos queixosos que você entende o lado deles e que fará um esforço para que a negociação seja bem-sucedida tanto para eles quanto para você – uma situação ganha-ganha.

O ARGUMENTADOR

Pelo amor ao conflito

Sem dúvida, você já esteve diante desse estilo de negociador em sua vida pessoal e profissional. O argumentador é uma contraparte que parece amar o conflito, vibrando quando há discordância – e onde não há conflito ou desacordo, ele cria um só porque essa é a sua zona de conforto! O que se vê é uma argumentação interminável sobre os principais pontos em negociação – e/ou, de forma mais sutil, uma discussão firme e implacável sobre os mais ínfimos detalhes. Alguns argumentadores podem começar calmos e obsequiosos e depois passar para o modo argumentativo no meio da negociação.

CARACTERÍSTICAS RECONHECÍVEIS

O argumentador pode ser facilmente identificado pela discussão constante e espontânea sobre todas as suas questões e solicitações. É verdade que uma negociação pode ser um debate com idas e vindas para se chegar a uma alternativa com que todos concordem. Mas se transforma em uma discussão quando fica barulhenta e/ou detalhista e quando um lado ou outro pressiona pela vitória. Os argumentadores debatem e discutem os detalhes mais do que o necessário; parece que eles têm dificuldade em separar o que é ou não importante. Eles colocam diante de você uma infinidade de objeções sobre coisas sem importância.

Contrapondo-se ao argumentador

O argumentador pode atacar todos os seus movimentos a favor do acordo, na esperança de interromper a negociação e obter mais tempo para a questão levantada por ele ou para provar sua capacidade de vencer uma discussão. Utilize a agenda elaborada antes da reunião para lembrá-lo de que existe uma programação e de que você gostaria de manter-se fiel a ela e abordar tudo o que foi previsto. Ignore os argumentos sem sentido, reagindo apenas aos mais importantes.

Quando a discussão aumentar de volume, peça à contraparte para explicar a principal preocupação de seu argumento. Concentre-se em resolver esse assunto primeiro, mas saiba que argumentos sem sentido podem surgir durante todo o processo. É fácil ficar tão envolvido tentando vencer discussões menores e sem importância que o real assunto em questão muitas vezes se perde ao longo do caminho. Alguns argumentadores discutem para distraí-lo, esperando que você inadvertidamente ceda algo; outros se comportam assim pela necessidade de obter o maior número possível de vitórias, grandes ou pequenas. Apenas se pergunte: eu quero estar certo ou eu quero ganhar? Muitas vezes você pode conseguir as duas coisas. Mas em várias situações, estar certo à custa de ganhar significa, em última análise, vencer a batalha, mas perder a guerra.

Tal como acontece com outros estilos fortes de negociação, atenha-se aos fatos, ignore os apelos às suas emoções e peça um intervalo quando achar que isso pode ajudar. Se a situação realmente ficar ruim, avise à contraparte que "as coisas não estão funcionando" e que você pode ser forçado a abandonar a negociação.

Acima de tudo, evite tornar-se você mesmo um argumentador; isso só vai alimentar o fogo.

O ENGANADOR

Exagerando – ou ignorando – a verdade

Mentiras, mentiras, mentiras. Pequenas mentiras brancas. Meias verdades. Exagerar a verdade. Forçar um pouco a realidade. Promessas quebradas. Tudo considerado inofensivo porque – bem – trata-se de negócios, certo?

É interessante como o processo de vender algo (ou comercializar algo ou anunciar algo) aparentemente faz com que todos nós (pelo menos muitos de nós) possamos embelezar a verdade – mesmo que apenas um pouquinho. Queremos que nosso produto, nosso serviço, nossa empresa pareçam melhores que os da concorrência. Damos a nós mesmos a liberdade de afirmar que "somos os melhores", embora não haja evidências concretas disso.

Um enganador em uma negociação exagera a verdade (ou nos piores casos, ignora-a completamente) para conseguir o que quer. Você pode constatar isso por meio de seu "detector de mentiras" pessoal. Pode observar olhares esquivos, voz entrecortada (ou firme demais) e sentir que algo simplesmente não está certo. O que ele diz parece ser mais o que você quer ouvir do que a verdade nua e crua; simplesmente não é confiável.

CARACTERÍSTICAS RECONHECÍVEIS

Aprimorados pela experiência, tanto nos negócios quanto em nossas vidas pessoais, todos nós temos nossos próprios detectores pessoais de mentiras. Quando algo parece bom demais para ser verdade, geralmente é. Afirmações sem base em fatos ou corroboradas mais por pompa e entusiasmo do que por fatos são reveladoras. Uma grande quantidade de superlativos também serve como dica: a maioria, o melhor, o menor, o mais barato. Não fazer contato visual, mudança no padrão de fala e nervosismo em geral podem indicar uma mentira ou exagero.

É verdade que algum exagero e hipérbole está presente no território dos negócios, especialmente nas áreas cinzentas que são difíceis de respaldar com fatos. Nossas mentes tendem a ver nossos próprios produtos da melhor maneira possível, e quando nós mesmos entramos no modo "vender ou evangelizar", é natural querer que os outros entrem na nossa *vibe*. "O nosso é o mais bonito do mercado" não é uma mentira, é uma questão de julgamento – mas se você ouvir muitas dessas afirmações, tenha cuidado.

Contrapondo-se ao enganador

A melhor maneira de contrapor-se ao enganador é pedir-lhe que fundamente suas afirmações. Não se acanhe: simplesmente diga que a obtenção dos fatos é importante para você se sentir mais confiante na negociação. Se você repetidamente pedir os fatos, deixará claro que está ciente do estilo e do estratagema dele – especialmente se descobrir que repetidamente os fatos estão errados.

O enganador tenta assumir o controle da reunião e obter vantagem fabricando ideias para você engolir. Se você engolir inverdades e exageros demais, abrirá as portas para cada vez mais. Acontece o tempo todo nos negócios e na vida pessoal. Lembre-se de que a enganação só funciona quando você acredita nela. Conselho simples: não faça isso. Mostre à sua contraparte desde o início que você não aceitará nenhuma mentira; buscará a verdade mesmo que seja desconfortável, e que se ela continuar a distorcer a verdade, você abandonará a negociação. Você não dispõe de tempo para isso.

Acima de tudo, não passe a agir no modo "enganador". Combater fogo com fogo só faz o fogo ficar maior. Todos acabarão se queimando. A honestidade é a melhor política – sempre.

O DE RACIOCÍNIO LÓGICO

Paralisia da análise

Os de raciocínio lógico, naturalmente, podem ser bastante razoáveis para se trabalhar. No entanto, em alguns casos, eles tendem a analisar excessivamente os problemas e permanecer neles por muito tempo. Geralmente examinam os detalhes e trazem pontos válidos que você pode reconhecer, mas com os quais não necessariamente concorda. Se não concordar, eles sondam seus motivos. Se concordar, isso os incentiva a investigar mais.

O principal problema com os de raciocínio lógico é que, com seu constante questionamento dos detalhes, eles criam muito do que poderia ser chamado de discussões de "estacionamento" que causam desvios na negociação (eu chamo de discussões de "estacionamento" porque são do tipo que acontece no estacionamento quando vocês já terminaram a discussão principal e estão se preparando para entrar no carro e partir). O desafio é manter o foco e evitar entrar em detalhes para analisar excessivamente os assuntos menores.

Dito isso, todos os negociadores, exceto os mais avessos aos detalhes, costumam gostar de trabalhar com os de raciocínio lógico. São perspicazes e não usam jogos mentais emocionais para tentar desviá-lo do objetivo. Eles podem atrapalhá-lo por meio de análises e solicitações de detalhes, mas esta é uma parte genuína de sua natureza, não uma tática de negociação. Se você satisfizer as necessidades deles por detalhes, a situação ganha-ganha ocorre mais facilmente.

CARACTERÍSTICAS RECONHECÍVEIS

Os de raciocínio lógico lidam com fatos e números. A maioria é naturalmente cética e faz muitas perguntas. A ênfase é nos detalhes. Suas perguntas podem parecer frívolas ou irrelevantes para você, mas não para a contraparte de raciocínio lógico. Eles procuram tirar conclusões, testar a validade de suas afirmações e reivindicações, eliminar imprecisões e avaliar informações.

Ocasionalmente você pode se deparar com uma contraparte que não é de raciocínio lógico, mas que usa intensamente o questionamento e a análise para abalá-lo ou "obstruir" um acordo que ela não deseja. Normalmente, você pode reconhecer essa manobra pela frivolidade das perguntas e verificando se a contraparte parece estar ouvindo ou reagindo às suas respostas.

Contrapondo-se ao de raciocínio lógico

A melhor maneira de lidar com os negociadores de raciocínio lógico é fazer com que cada afirmação seja clara e corroborar cada uma delas com uma pesquisa sólida. Não utilize jargões ou estatísticas e fatos que você não possa comprovar. Tenha em conta que nem toda pessoa que faz perguntas está empregando o estilo de raciocínio lógico – você descobrirá isso pela persistência das perguntas, pelo nível de detalhes e pelo modo como o questionador reage às suas respostas. Se ele parece estar analisando os fatos e suas respostas ao questionamento, ele se encaixa no molde do de raciocínio lógico.

Basicamente você deve tentar entrar no jogo dele. Satisfaça suas necessidades por informação. Seja você também uma pessoa de raciocínio lógico – faça um monte de perguntas e exija fatos para respaldar as afirmações. O de raciocínio lógico responderá bem a isso. Mas, ao mesmo tempo, é uma boa ideia assumir a liderança da reunião, mantê-la educadamente no caminho certo e sem excesso de detalhes, e manter em primeiro plano a agenda e o acordo final ganha-ganha. Não hesite em fazer intervalos quando as coisas perderem o rumo. Você pode discutir alguns desses detalhes incômodos durante a pausa, mas volte pronto para discutir os assuntos importantes de sua agenda.

PERSONALIDADES DE NEGOCIAÇÃO

O que está por trás de um estilo de negociação

Até agora, neste capítulo, discutimos os *estilos* de negociação – que, naturalmente, decorrem de uma personalidade individual. Nesta seção, esmiuçaremos esses estilos para descobrir os elementos constitutivos específicos da personalidade de um negociador – os principais elementos da personalidade que fazem parte do estilo de negociação de uma pessoa.

Os estilos de negociação são escolhidos e desenvolvidos pelos indivíduos que os utilizam, enquanto as personalidades de negociação são inatas, uma parte natural e geralmente imutável do ser de alguém. Assim como pode reconhecer um estilo e lidar com isso na mesa de negociação, você também pode aprender a reconhecer personalidades. Esta seção o ajudará nisso. Armado com esse conhecimento, você poderá criar uma lista de formas de lidar com as diferentes personalidades. Esta seção também auxiliará a entender melhor sua própria personalidade de negociação. Por fim, a avaliação da personalidade de negociação de sua contraparte durante a fase de preparação, se possível, gerará uma negociação mais eficaz.

Abordarei seis personalidades de negociação: agressivo/dominante, passivo/submisso, lógico/analítico, amigável/colaborativo, evasivo/não cooperativo e expressivo/comunicativo. Como você pode presumir, é possível um negociador exibir mais de uma dessas personalidades.

AGRESSIVO/DOMINANTE

Você sem dúvida já lidou com uma personalidade agressiva. Essa personalidade é motivada pelo poder e influência, e se manifesta nos seguintes traços familiares:

- Exigente
- Insistente
- Autoritário
- Autocentrado
- Controlador
- Defensivo
- Competitivo
- Persistente
- Viciado em poder (gosta do poder e respeita as pessoas no poder)
- Contundente
- Desafiador
- Desdenha a fraqueza
- Grosseiro
- Vingativo
- Facilmente irritável
- Dominante
- Intimidante
- Ambicioso
- Bem-sucedido
- Impaciente
- Astuto
- Aprende rápido

Como eles agem

Os indivíduos com personalidades cuja característica "dominante" é agressiva/dominante costumam falar e agir rápido. Eles não querem gastar mais tempo com você do que o necessário. Estão geralmente ocupados; prosperam em um ambiente de trabalho acelerado. Preparar-se para negociar com eles significa que você precisa ter todos os fatos em ordem de antemão e estar pronto para uma discussão rápida. A paciência deles é curta; eles vão apressá-lo em toda a oportunidade que tiverem. Para um indivíduo agressivo/dominante, uma negociação gira em torno de assumir o controle muito rapidamente.

Como negociadores, os tipos de personalidade agressiva querem ganhar o máximo que puderem e ceder o mínimo possível. A vitória é o objetivo principal, e eles estão acostumados a obtê-la. Podem adotar um estilo de negociação posicional, pouco se importando com a forma como você se sai no acordo. Quando não conseguem o que querem, podem ficar agitados e se tornam ainda mais difíceis de lidar.

Como se defender

"Combater fogo com fogo" pode ser uma tática defensiva. Ou você pode tentar desacelerá-los sendo frio, calmo e prático. Aderir a uma agenda bem estruturada também pode ajudar. Passar a palavra para outra pessoa na sala ou ao telefone também pode ajudar. Fique frio, atue firmemente, evite respostas emocionais, atenha-se aos fatos e ao mantra ganha-ganha.

PASSIVO/SUBMISSO

Essa personalidade é exatamente o oposto da personalidade agressiva/dominante. O negociador passivo/submisso costuma exibir as seguintes características:

- Agradável, amigável
- Atencioso
- Inseguro
- Desconfortável com conflitos
- Tem medo de não agradar
- Sensível
- Tímido
- Introvertido
- Bom ouvinte
- Solitário
- Calmo
- Reservado
- Evita ser o centro da atenção
- Prefere trabalhar sozinho ou com poucas pessoas, não em grupos
- Obediente
- Quieto

Como eles agem

Os negociadores passivos/submissos geralmente se preocupam mais em agradar outras pessoas do que com a mecânica da negociação em si. Muitas vezes, as contrapartes se aproveitam deles; mas cuidado. É fácil interpretar mal esses atributos – um lobo agressivo pode se apresentar em pele de cordeiro! Negociadores verdadeiramente submissos querem que os outros gostem deles. Farão o que puderem para tornar a outra parte feliz, mesmo que isso signifique oferecer concessões extras ou deixar o outro desistir de uma de suas concessões. Eles são adequados para negociações ganha-ganha, mas podem ter uma inclinação para ceder demais muito cedo.

As personalidades submissas raramente assumem o controle da negociação. Não gostam dos holofotes e ficam mais à vontade seguindo do que liderando. Não querem causar o caos nem perturbar a paz, e por isso raramente falam fora de hora ou expressam seus pensamentos e opiniões.

Cuidado com os passivos-agressivos

Como uma variante do comportamento submisso, você pode lidar com um comportamento passivo-agressivo, em que um comportamento calmo, educado ou mesmo reticente mascara conceitos mais agressivos sob a superfície. Tal comportamento, talvez inicialmente avaliado como fácil, pode lhe trazer problemas mais tarde na negociação ou depois dela. Pode ser difícil de identificar.

Uma tática para descobrir o comportamento passivo-agressivo é delinear uma pequena tarefa, uma solicitação ou uma questão em aberto na negociação. Deixe a contraparte pegar um item para pesquisar ou decidir durante a reunião e trazer de volta antes do término. Ela geralmente aceitará o item educadamente ou com pouca reação. Quando devolver para você, avalie a agressividade da resposta. Caso não realize completamente o seu pedido ou faça algo diferente do que você solicitou, ela provavelmente se inclui no campo passivo-agressivo.

Como se defender

Nenhuma defesa é necessária, exceto no caso da variante passivo-agressiva destacada anteriormente. Ao se deparar com um comportamento passivo-agressivo, mude para o modo de "defesa agressiva" – mantenha o foco nas agendas, nos fatos e no propósito em comum da negociação. Não ceda a este comportamento.

Você pode ter dificuldade para extrair as verdadeiras necessidades ou a intenção de um negociador passivo/submisso. Trabalhe duro a fim de preservar o relacionamento para que você seja convidado novamente em futuras negociações. Embora possa ficar tentado a tirar proveito de uma contraparte passiva/submissa, resista a agir assim – um resultado ganha-ganha preserva o relacionamento e as futuras oportunidades de negociação.

LÓGICO/ANALÍTICO

As personalidades analíticas costumam exibir os seguintes traços:

- Examinador
- Apreensivo
- Desconfiado
- Verificador de fatos
- Ponderado
- Organizado
- Preparado
- Criterioso
- Sempre chega cedo ou no horário
- Estável
- Gosta de informações
- Minucioso com detalhes
- Leva tempo para tomar decisões
- Insensível
- Lógico
- Justo
- Firme
- Crítico

Os negociadores lógicos/analíticos precisam ter todos os fatos, detalhes e informações sobre a negociação. Preferem uma preparação minuciosa e não têm nenhuma vontade de avançar a todo custo.

Como eles agem

Os analisadores gostam de resolver problemas e buscam uma compreensão mais profunda do que já sabem. São empreendedores e têm um forte senso de realização – isso é mais importante para eles do que o poder na negociação. Na verdade, procuram alcançar o poder através do conhecimento e da realização, não através de demonstração de personalidade ou hierarquia e credenciais.

Preveja que as personalidades lógicas/analíticas entrarão na sala de reunião armadas com dados e fatos. Durante a discussão, você pode sentir que está sendo examinado de perto, como se estivesse sob um microscópio. A contraparte procura erros e inconsistências em sua apresentação. Isso pode parecer excessivamente crítico, mas os analisadores lógicos geralmente buscam conforto em avaliar todos os aspectos antes de tomar uma decisão. Você deve se preparar conhecendo os fatos e estando pronto para pesquisá-los rapidamente, se necessário.

Como se defender

É simples: esteja preparado. Quando possível, tenha documentação para respaldar sua apresentação. Gráficos, tabelas, slides e relatórios previamente preparados podem ajudar. Não blefe, não exagere a verdade, não distorça os fatos nem diga meias verdades – você provavelmente será descoberto. Prepare-se para ser julgado. Tente ajudar sua contraparte a reunir os fatos, tirar conclusões e tomar decisões (ela pode precisar de ajuda com este último!).

Um pouco de pressão pode contribuir muito

Os negociadores lógicos/analíticos geralmente levam muito tempo para tomar decisões. Tendem a ser um pouco inseguros com os fatos; sentem como se houvesse mais um elemento para ser explorado. Tente tranquilizá-los e aplique um pequeno empurrão durante o processo para ajudá-los a concluir a análise e trabalhar para o fechamento do acordo. Deixados à própria sorte, eles talvez nunca façam isso.

AMIGÁVEL/COLABORATIVO

Aquele de que a maioria das pessoas gosta – o negociador amigável e colaborativo – é fácil de reconhecer:

- Justo
- Cortês
- Demonstra empatia
- Atencioso
- Agradecido
- Compreensivo
- Honesto
- Diplomático
- Caloroso
- Amigável
- Bem-sucedido
- Mente aberta
- Engenhoso
- Sincero
- Paciente
- Demonstra preocupação geral com os outros
- Possui capacidade de empregar técnicas de pensamento criativo
- Flexível
- Sensível
- Tolerante
- Possui caráter e integridade

Esses negociadores amigáveis/colaboradores apresentam os princípios necessários para alcançar soluções ganha-ganha. Entendem que uma negociação não é uma batalha. Pelo contrário, é uma oportunidade para alcançar o sucesso mútuo com o mínimo de resistência e negatividade.

Como eles agem

Os colaborativos estão preocupados em trabalhar visando a resultados de forma rápida e com a concordância de todos. Querem gerar confiança e desenvolver relacionamentos sólidos para o futuro. Tentam saber o máximo possível sobre as contrapartes e seus objetivos para que o resultado desejado possa ser alcançado.

Você tem sorte se estiver negociando com um colaborativo. Você reconhecerá o sorriso caloroso e o comportamento amigável. Ele escuta e escuta bem. Mas não se engane: esses negociadores têm um bom tino comercial e, fundamentalmente, colocam a importância da tarefa acima de você e do relacionamento. Eles são verdadeiros profissionais.

Outro lobo?

Anteriormente descrevi a personalidade passivo-agressiva. Um comportamento calmo e educado pode ser confundido com comportamento submisso. Às vezes, porém, é um lobo em pele de cordeiro, pois essa personalidade tranquila passará a minar a negociação ou a ignorar suas solicitações e acordos em algum momento no processo.

Um lobo semelhante pode usar o disfarce de uma personalidade exteriormente amigável e integradora – muito confortável – e, em seguida, atacar. Se você já foi a um revendedor de automóveis, é provável que tenha observado esse comportamento. Eles mostram tudo, permitem que você teste o carro, respondem a todas as suas perguntas, são seus melhores amigos. Então, de repente, abrem a gaveta e tiram um formulário de contrato de venda e começam a falar de pagamentos mensais – tudo para o seu conforto! Esse tipo de comportamento é colaborativo até certo ponto. E no momento em que você é sugado, começam os fogos de artifício da negociação. Não se deixe levar pela aparente natureza amigável e colaborativa de uma contraparte.

Como se defender

Nenhuma defesa é realmente necessária – exceto para garantir que o comportamento é genuíno, não forçado. Para testar, você pode fazer um pedido pouco razoável para ver como ele lida com isso. Se as coisas repentinamente ficarem conflituosas, então "colaborativa" provavelmente não é a verdadeira personalidade dele. Seja honesto ao lidar com um negociador genuinamente amigável/colaborativo, de modo que sua contraparte também o considere colaborativo.

EVASIVO/NÃO COOPERATIVO

Alguns negociadores parecerão relutantes em negociar ou até mesmo de estar lá com você. Esse tipo de negociador costuma apresentar as seguintes características:

- Inseguros
- Temerosos
- Cuidadosos
- Evitam o risco
- Não gostam de confronto
- Introvertidos
- Tímidos
- Calmos
- Reservados
- Procrastinadores
- Não participativos
- Frios
- Pessimistas
- Constrangem-se facilmente
- Indiferentes

Os negociadores evasivos/não cooperativos lidam com questões – ou pessoas – desconsiderando-as completamente. Não é que não queiram ter sucesso; eles não sabem como obtê-lo ou relutam em se envolver por desinteresse ou fraqueza. Alguns também podem ser lobos em pele de cordeiro, jogando com a carta do passivo-agressivo para conseguir o que querem, não lhe dando o que você quer durante a discussão.

Como eles agem

Os negociadores evasivos/não cooperativos buscam passar pelo calvário da negociação sem perder. Eles podem ser pessoalmente inseguros ou não se sentir preparados ou bem informados sobre o assunto sendo negociado. Falta de cooperação e silêncio para eles são técnicas de sobrevivência para evitar dizer qualquer coisa que possa ser desconfortável ou enfraquecer sua posição. Ou, mais uma vez, pode ser parte de uma manobra para obter o controle através de um comportamento passivo-agressivo.

É fácil se frustrar com esse tipo de negociação, pois a contraparte tende a postergar as discussões e a segurar ou adiar as informações relevantes. As questões não são resolvidas; você pode sentir que nada está sendo realizado. A comunicação pode falhar ou ficar tensa.

Como se defender

Este tipo de personalidade é difícil; você deve diagnosticar a causa. Se o motivo é insegurança, tente tirar o negociador da concha estendendo-lhe a mão e ajudando-o a superar seu medo. Se sua contraparte tiver tendências passivo-agressivas, concentre-se na necessidade de executar a tarefa e faça algumas concessões para oferecer alguma sensação de controle. Não retire nem retenha informações; isso só mantém a indefinição e pode adiar para sempre a chegada a um resultado bem-sucedido.

EXPRESSIVO/COMUNICATIVO

Os negociadores expressivos mostram as seguintes características:

- Brincalhão
- Espontâneo
- Ativo
- Falador
- Sociável
- Charmoso
- Envolvido
- Gosta de pessoas
- Aberto
- Distrai-se facilmente
- Tem déficit de atenção
- Entusiasmado
- Pensa em voz alta
- Extrovertido
- Gosta de ser o centro da atenção

- Ambicioso
- Não é um bom ouvinte
- Gosta de ser tranquilizado

Os negociadores expressivos/comunicativos são geralmente muito animados e transmitem uma atitude divertida na maioria das situações. Gostam de seu trabalho, anseiam por atenção e crescem com o relacionamento. Querem concluir a negociação, sentir que venceram e acreditar que o divertiram ao longo do processo.

Como eles agem

Além de se tornarem seu novo melhor amigo, os negociadores expressivos/comunicativos procuram tirar o máximo proveito do acordo utilizando suas habilidades sociais e seu otimismo. Assim, podem levar para o lado pessoal quando você discorda ou rejeita uma de suas ofertas. A discussão tende a centrar-se neles, às vezes mais do que no tópico sendo negociado, e sua resposta e atenção – assim como sua disposição em fazer as coisas do jeito deles – é a recompensa que almejam.

Em vez de conduzir os negócios em um tom equilibrado e comercial, os negociadores expressivos/comunicativos transformam a negociação em uma função social. Podem pular de um assunto para o outro e tornar difícil definir um item específico. Às vezes, podem não deixar você falar coisa alguma.

Como se defender

A melhor maneira de trabalhar com negociadores expressivos/comunicativos é permitir-lhes fazer o que estão acostumados, pelo menos no começo. Isso ajuda a construir uma conexão. Em seguida, tente manter a negociação na tarefa em questão, com perguntas convenientes e foco na agenda. Não permita que eles pulem nada e não deixe que fiquem com muita conversa mole. Evite ser consumido por seu charme.

Lidando com personalidades difíceis

Vamos encarar a verdade: nós não nos damos bem com todo mundo, e algumas pessoas com as quais temos de lidar simplesmente não hesitam em nos irritar. O que você pode fazer quando não combina bem com sua contraparte?

A melhor abordagem – e mencionei isso algumas vezes nas subseções "Como se defender" – é tentar ignorar os aspectos desagradáveis da personalidade ou estilo de sua contraparte. Se ela for barulhenta e agressiva, não responda; atenha-se aos negócios e a um nível normal de serenidade para a situação. Se ela for evasiva e passivo-agressiva, não morda a isca.

Em segundo lugar, e ainda relacionado a isso, atenha-se aos negócios. Concentre-se na tarefa em questão, no problema e não nas pessoas. Atenha-se aos fatos, à agenda. Isso é parte do motivo de ser tão importante vir preparado com fatos e uma agenda.

Finalmente, use o relógio de forma eficaz. Peça intervalos para reagrupar ou aliviar a tensão. Você pode usar essas pausas na negociação para estabelecer alguma conexão informal com sua contraparte, de modo a diminuir algumas das suas diferenças (o que geralmente é mais fácil de se fazer em uma situação mais amistosa e com menos pressão).

O mais importante – nunca é demais ressaltar – é a preparação. Visualize a negociação, incluindo sua resposta às personalidades difíceis que poderá encontrar. E esteja preparado para separar as pessoas do problema.

Capítulo 5

As ferramentas táticas – técnicas, truques e manobras do negociador experiente

Seja um caso de cinco minutos ou cinco dias, você está nos estágios finais de preparação para a negociação. Realizou todas as etapas da preparação: visualizar o resultado, preparar os fatos e antecipar o estilo e as táticas de sua contraparte. Estrategicamente, você está pronto.

Agora, como etapa final da preparação, é hora de rever o kit de ferramentas táticas. Como você vai realmente estabelecer e defender seus principais pontos? Este capítulo explora táticas, dicas, truques, dramatizações e outras manobras do "dia do show", destinadas a fortalecer a sua posição à mesa de negociação. Essas ferramentas táticas – muitas delas baseadas nos princípios da economia comportamental – fortalecem sua posição, muitas vezes provocando respostas emocionais de sua contraparte ou fazendo-a passar por cima de certas questões. O uso dessas ferramentas passará a ser intuitivo à medida que você se tornar um negociador mais experiente.

Apresentarei cinco manobras específicas, seguidas de conselhos táticos mais gerais para lidar com situações pontuais, como não estar pronto (acontece muito no mundo acelerado de hoje!) e o que fazer se a sua posição for fraca. Gostaria também de salientar que essas manobras táticas devem ser usadas com moderação. É melhor ser sutil – você não quer ter a reputação de um negociador manipulador. A ideia é manipular sem que sua contraparte tenha consciência disso. Finalmente, essas táticas são apresentadas – como muitas outras recomendações neste livro – para que você possa identificá-las quando utilizadas pela outra parte.

TÁTICAS – NO CONTEXTO

Truques do comércio e quando utilizá-los

Táticas à mesa de negociação como as que eu estou prestes a compartilhar são geralmente empregadas – ou identificadas – em tempo real. Embora você possa ter tempo para se preparar com antecedência, e apesar de certas situações naturalmente exigirem algumas dessas táticas, especialmente no mundo acelerado de hoje, é ainda mais importante identificar e lidar com essas manobras em tempo real. Você não terá muito tempo para analisar; na verdade, terá de conhecer os tipos de negociação e suas táticas tão bem que possa reconhecê-los instintivamente à medida que ocorrerem. Durante uma negociação, você não está treinando passes ou praticando chutes a gol – está no campo de verdade.

Honestamente – trata-se do ganha-ganha

Como mencionado anteriormente, as melhores negociações são as do tipo ganha-ganha – você consegue o que quer, eles conseguem o que querem; os dois lados saem com um bom relacionamento que permite uma próxima negociação mais eficaz. É claro que a dupla vitória nem sempre é possível – alguns acordos acabam sendo mais vantajosos para uma parte do que para outra. Mas, do começo ao fim, sempre vale a pena permanecer o mais franco e honesto possível. Você deve se esforçar para evitar tornar-se o "negociador do mal". Sim, exatamente como você foi ensinado quando criança: a honestidade é a melhor política.

Não há problema em utilizar manobras táticas, mas não minta. Isso ficará marcado em você, da mesma forma que na sua juventude. Talvez traga uma vantagem momentânea, mas em longo prazo arruinará a sua reputação e tornará muito mais difícil fazer negócios.

POLICIAL BOM/POLICIAL MAU

Reconhecida facilmente na maioria dos casos, a manobra do policial bom/policial mau é uma exibição por vezes divertida de duas pessoas da mesma equipe desempenhando papéis opostos em um esforço para distorcer a percepção dos fatos e o controle das emoções pela outra parte. O policial mau é desagradável – determinado, irracional, talvez irascível e zangado. O policial bom, por outro lado, é calmo e prestativo, pacificador ou colaborativo e interrompe talvez para dizer ao colega mais abrasivo para aliviar um pouco, criando até a impressão de querer ajudar seu adversário.

Certamente você já viu essa tática antes na televisão ou no cinema. O policial mau interroga o suspeito de assassinato gritando, ameaçando e intimidando. Aí o policial mau sai da sala de interrogatório tempestuosamente e é substituído pelo policial bom, que faz amizade com o suspeito oferecendo cigarros, sendo legal e prometendo ajudá-lo a sair daquela situação se ele revelar onde está a arma do crime ou onde o corpo foi enterrado.

Policiais bons e policiais maus em ambientes de negócios e pessoais

Em um ambiente de negócios, o policial mau pode conduzir um acordo ruim ou estabelecer um preço difícil de cumprir, enquanto o policial bom pode sugerir uma concessão de preço ou em outro aspecto do negócio, como serviço ou entrega. Seja como for, o policial bom parece estar levemente do seu lado, tentando afastar o policial mau. É uma sensação boa e um apelo favorável às nossas emoções. Os economistas comportamentais já observaram há muito tempo nossa tendência a aceitar acordos quando é mostrado um preço mais alto, ou isca. Isso porque achamos que fizemos um negócio melhor ao evitar o "ruim" proposto pelo policial mau.

Você talvez já tenha testemunhado essa manobra em uma concessionária de carros. O vendedor desempenha o papel do policial bom, enquanto o gerente dele, que nunca é visto, faz o papel do policial mau que não deixa o vendedor fazer nenhuma concessão. O vendedor vai e volta do escritório do gerente e sempre vem dizendo que fez tudo o que podia para conseguir o que você queria, mas o gerente se recusou a ceder. No final, ele consegue uma concessão do gerente ou lhe dá algo afirmando que é um favor "por baixo do pano". Você fica exultante porque ele trabalhou a seu favor, conseguindo uma vantagem especial não disponibilizada pelo policial mau. Você agradece muito ao vendedor e compra o carro.

Isso pode ser invertido – o gerente é o policial bom, enquanto que a pessoa na linha de frente, nesse caso o vendedor, é "limitado" pelas regras, pela política da concessionária ou algo assim. O gerente vem para salvá-lo. Você fica empolgado, embora provavelmente pagando um valor mais próximo ao ofertado pelo vendedor do que o pretendido por você.

No lar, vemos a rotina policial bom/policial mau o tempo todo, especialmente quando os filhos negociam com os pais. O pai é o cara durão e a mãe vem salvar – ou vice-versa.

Colocando o policial bom/policial mau em ação

Essa manobra é geralmente deliberada e planejada antecipadamente como um conjunto de funções da equipe, embora possa surgir espontaneamente, conforme as condições permitam. Você e um membro da equipe podem assumir os papéis de policial bom e policial mau muito naturalmente, caso já tenham feito isso antes. O policial bom/policial mau funciona melhor quando os membros da equipe estudaram antecipadamente a linha dura do policial mau e as concessões do policial bom. No entanto, isso pode ocorrer intuitivamente à mesa de negociação e também ser uma maneira eficaz de usar um intervalo durante o qual o policial bom vem salvar.

Contrapondo-se à manobra do policial bom/policial mau

Quando você se depara com essa dinâmica dual durante uma negociação, o policial mau tenta intimidá-lo e com certeza rejeita todas as ofertas que você faz – talvez até com um comportamento agitado ou deixando a sala num acesso de raiva. O policial bom vem então em socorro, parecendo estar do seu lado. Não é difícil identificar essa tática e existem várias maneiras de lidar com ela:

- Diga que você só quer negociar com o policial bom.
- Confronte a contraparte. Mostre a ela que você conhece a manobra.

- Entre no jogo. Finja estar alarmado com a posição e as afirmações do policial mau. Ameace encerrar a negociação. O policial mau pode recuar e o policial bom pode assumir o controle.
- Utilize a mesma manobra. Traga o seu próprio policial mau para a negociação. Diga que você ficaria muito feliz em concordar com as exigências deles, mas que você tem um supervisor que não permite fugir às regras. Então venha em socorro, agindo como policial bom. Se você estiver em posição mais forte, sua manobra de policial bom e policial mau dominará a situação.
- Fale com o policial bom em separado. Uma vez sozinhos, diga-lhe que você está prestes a abandonar a negociação por causa do comportamento, posição ou até mesmo falta de profissionalismo do policial mau. Faça isso em um intervalo ou dê um tempo para que o policial bom possa discutir as suas necessidades separadamente com a equipe dele.

Lidar com policiais bons e policiais maus, assim como com todas as manobras e táticas de negociação, deve ser uma ação rápida, amigável e eficaz. Tirar o policial mau do cenário no início do jogo permite que o restante da negociação avance de forma mais suave.

FIGURANTES E CHAMARIZES

No mundo do marketing e das vendas, figurantes são pessoas especialmente colocadas que agem como isca para atrair clientes – e em nosso caso, contrapartes da negociação. Figurantes são geralmente utilizados em leilões. O figurante é um concorrente falso que está lá para fazer lances mais altos. A esperança é que você, um participante legítimo, perceba o "valor" do item e faça um lance maior. Em um cassino, às vezes vemos alguém estacionado em uma máquina caça-níqueis ou mesa de jogo ganhando sem parar. Esta pessoa sortuda não está jogando; ela está trabalhando para a casa.

Um chamariz é um item especialmente colocado, em geral com preço, que tem como finalidade mudar a sua percepção do valor no negócio. Muitas vezes vem na forma de um negócio adjacente com preços muito mais elevados. Por exemplo, você vê uma bela camisa por, digamos, R$320,00, e descobre uma logo ao lado que custa apenas R$200,00. Um grande negócio, certo? Esta oferta poderia não parecer tão boa se não fosse pelo fato de aquele item de R$320,00 estar bem próximo. A peça de preço mais elevado tem como objetivo nos fazer agir emocionalmente por um momento e agarrar a oferta "melhor". Essa camisa de R$320,00 pode ter sido colocada especificamente para esse fim, e o lojista pode não ter a mínima intenção de realmente a vender.

Os chamarizes nos manipulam psicologicamente para confundir o verdadeiro preço ou valor da oferta e podem desviar nossa atenção das questões reais. Em uma negociação, um chamariz que está fora de seus parâmetros é concebido para fazer com que você se sinta melhor em aceitar a oferta que se enquadra dentro deles. Um chamariz pode ser usado em uma posição defensiva: por exemplo, quando você traz um problema de entrega anterior ou outras questões. Elas podem não ter sido realmente problemáticas, mas você as joga para induzir a contraparte a fazer uma concessão.

Colocando figurantes e chamarizes em ação

Repetindo mais uma vez, algum planejamento prévio e um bom trabalho em equipe são geralmente pré-requisitos, embora para uma equipe experiente isso possa ocorrer na hora. A parceria pode consistir de um testemunho "especializado" de um usuário atual do produto ou serviço, de alguém que parece feliz (e pode muito bem estar) com o acordo que *ele* fez.

Uma manobra típica é posicionar algo como um "eu exijo" (como determinado nível de preço) quando na verdade é um "eu desejo"; o "exigir" se torna um limite na mente da contraparte, que se sente bem quando você finalmente se afasta dele. "Bem, na verdade eu tenho uma camisa de R$200,00 na mesa de liquidação que é quase tão boa quanto", você poderia dizer. Diante disso, a camisa de R$200,00 pode parecer uma boa opção quando uma de R$320,00 é a única alternativa. Nesses casos, a camisa mais cara está desempenhando o papel de chamariz.

Você esteve usando "figurantes" e "chamarizes" sua vida inteira

Negociadores experientes podem facilmente perceber os figurantes e chamarizes; assim, é importante utilizar essas táticas estrategicamente e com moderação. A estratégia é comum e identificável quando você está ciente dela.

É divertido praticar usando figurantes e chamarizes em seu negócio e com seus amigos – como estou certo de que você vem fazendo a vida inteira. Você conseguiu que seu pai lhe comprasse uma bicicleta encontrando outra menos cara do que aquela que originalmente disse que queria (chamariz); fez sua mãe desistir de um castigo dizendo a ela algo bom que aconteceu na escola (chamariz) ou trazendo o garoto da rua que não teve problemas fazendo a mesma coisa (figurante).

Nos negócios: você administra uma pequena empresa de jardinagem e oferece um serviço completo a R$1.000,00 por semana, na esperança de assinar com um cliente em potencial um serviço quinzenal por R$600,00 (chamariz). Consegue um vizinho que vem agradecê-lo por fazer um bom trabalho exatamente quando começou o seu discurso de venda (figurante). Ou fez com que seu cônjuge se contentasse com uma viagem mais barata, organizando jantares com alguns amigos que você sabia que atestariam a ótima experiência que tiveram com você (outros figurantes).

Um vendedor de roupas pode usar acessórios, sapatos ou itens adjacentes como chamarizes: "Ah, a propósito, tenho algumas excelentes gravatas e calçados à venda por aqui". Esta afirmação é feita para dar ao cliente uma percepção maior sobre o valor do negócio em geral. Também desvia o foco do principal assunto – a camisa de R$320,00 e seu preço elevado. Se as ofertas secundárias forem realmente interessantes, você pode ter uma sensação boa sobre essas transações. Consequentemente, pode estar mais disposto a gastar R$320,00 pela camisa.

Os vendedores de carros usam figurantes e chamarizes o tempo todo. Você fica sabendo de um modelo com preço maior apenas para se sentir bem com aquele em sua faixa de preço. Um associado da equipe de vendas pode aparecer para dizer-lhe que acabou de vender o modelo mais caro para um casal "como vocês". Você será "enganado" ou seduzido por discussões sobre tapetes, serviço gratuito e até mesmo café e pipoca gratuitos na concessionária – tudo para tirar a sua mente do negócio em questão ou fazer com que você se sinta um pouco melhor a respeito daquela compra.

Contrapondo-se ao figurante e chamariz

A melhor maneira de se defender dessa manobra é conhecê-la. Considere os "especialistas" e os "testemunhos especializados" como o que realmente são. Avalie cada transação ou preço baseado no que realmente valem. Tente não ser excessivamente influenciado pelo negócio adjacente. Veja os chamarizes pelo que significam de verdade: distrações sofisticadas e apelos emocionais para afastá-lo de sua percepção normal de valor econômico.

Repetindo, seja honesto

Um figurante pode ser uma tática inteligente – ou simplesmente uma mentira. Por exemplo, em uma entrevista, não se venda para um empregador em potencial fazendo com que um colega testemunhe seus excepcionais trinta anos de carreira se você não trabalhou na outra empresa por trinta anos ou se sua carreira não foi excepcional. O número real, 25 anos, ainda parecerá atraente para eles, e sua entrevista não ficará melhor com a afirmação dos trinta anos – em vez disso, você será rotulado como desonesto. E não tente usar um pacote de serviço de jardinagem de R$1.000,00 – ou alertas terríveis sobre a morte iminente das plantas – para vender o pacote "convencional" de R$600,00 se você não tem de fato um pacote de R$1.000,00 ou se as plantas estão bem. As pessoas descobrem isso rapidamente.

Quando um chamariz prova ser uma mentira ou um figurante, um mentiroso, isso é ruim para todos, e ficará ainda mais difícil para os envolvidos escaparem das repercussões.

A TÉCNICA DO ESPANTALHO

A técnica do espantalho é uma manobra para fazer a contraparte acreditar que algo tem mais valor do que na realidade tem. A contraparte é induzida a fazer uma concessão porque um ponto da negociação parece ser importante, embora não seja. É semelhante a um chamariz, mas é mais provável que seja concebida e colocada em jogo durante a negociação, em vez de previamente pensada.

A melhor maneira de explicar essa manobra é através de um exemplo. Suponha que durante a negociação para comprar uma casa você decida que gostaria de incluir a máquina de lavar e uma secadora no negócio. Os vendedores percebem uma oportunidade, já que estão planejando comprar máquinas novas e abandonar as antigas. Mas agora eles têm um poder de barganha adicional, porque sabem que você as quer. Em vez de simplesmente dizer: "Certo. Nós não queríamos mesmo levá-las conosco", eles mostram preocupação sobre deixar essas máquinas e dizem: "Bem, talvez... se você estiver disposto a pagar um pouco a mais para fecharmos negócio". Eles fizeram uma aparente concessão, mas na verdade utilizaram a máquina de lavar e a secadora como um espantalho – uma característica ou item de pouco valor para eles – para extrair uma concessão sua.

O elemento do tempo pode ser outro espantalho. Um atraso inventado ou desnecessário pode ser usado para obter algo de valor: "Esta concessão que você está pedindo levará algum tempo para ser avaliada – podemos chegar a um acordo agora se você estiver disposto a retirá-la". Nesse caso, a economia de tempo é lançada como um espantalho para levar o negócio adiante – na realidade, a contraparte não precisava de mais tempo para tomar a decisão.

Colocando o espantalho em ação

Mais oportunidades de espantalhos aparecerão como itens "de última hora" – ou seja, na mesa de negociação em tempo real – que podem aparentemente ficar importantes para fazer com que a outra parte reconsidere ou faça uma concessão. Elas são difíceis de planejar previamente, a menos que você saiba com antecedência (através da preparação) que um item, como a lavadora/secadora, será importante, porque, digamos, o seu corretor de imóveis conversou com o deles ou algo assim. Não use o espantalho em excesso. A tática exagera um pouco a verdade ou até mesmo trata-se de uma mentira deslavada, para que você ganhe poder na negociação. Se usá-la repetidamente e a contraparte descobrir o padrão, seus espantalhos se tornarão ineficazes; ou pior ainda, você será rotulado como desonesto e manipulador.

Como se defender

Uma defesa contra a tática do espantalho é devolver o favor. Como comprador, você poderia dizer: "Vocês levarão a lavadora/secadora para sua nova casa? Bem, eu gostaria de ficar com a geladeira" (na realidade, você não quer, mas é uma tática para fazê-los reconsiderar a posição quanto à lavadora/secadora). Dê-lhes alternativas: "Se vocês deixarem a lavadora/secadora, será muito menos trabalho". Ou: "Vocês precisam de mais tempo para decidir? Como posso ajudá-los a tomar uma decisão mais rapidamente?". Também pode fazer perguntas sobre os motivos e expor o blefe: "Vocês estão realmente planejando levar essa lavadora antiga para a nova casa? As novas são muito melhores".

PEGO DE SURPRESA

Sem dúvida você já passou por isso em sua vida pessoal, senão na profissional: uma reviravolta inesperada na negociação o pega desprevenido e faz com que você deixe de confiar em fatos para reagir com base na emoção. A partir daí, concessões podem vir mais facilmente!

Em um discurso que vinha tranquilo, a contraparte de repente muda a mensagem ou tática, trazendo à tona novas informações ou exibindo um comportamento surpreendentemente novo na esperança de despertar uma resposta ou reação emocional de sua parte. Você é pego de surpresa e, muitas vezes, colocado na defensiva. Vemos essa tática o tempo todo nos seriados da televisão sobre tribunais.

Não seja surpreendido

Espere uma determinada quantidade de surpresas e tente "ver" a sua saída com antecedência. Prepare-se mentalmente para surpresas visualizando sua resposta e seus esforços para redirecionar o foco à negociação. Uma surpresa que você antecipa e com a qual lida com eficácia não é uma surpresa.

Colocando o "pego de surpresa" em ação

Vamos inverter os papéis e fazer de você a pessoa que vai pegar sua contraparte de surpresa. Você lança um ponto de negociação de surpresa ("Sabia que estamos prestes a realizar a última rodada de produção do dispositivo que você pretende pedir?") ou demonstra um pouco de frustração ou raiva sobre uma questão que ela está levantando. A intenção é quebrar a concentração, colocá-la na defensiva, fazê-la perder o equilíbrio ou até mesmo deixá-la em pânico, caso realmente dependa de seus dispositivos. No momento em que ela baixa a guarda, fica mais fácil pedir aquilo que você deseja, se não por outro motivo que o de apenas recolocar a negociação nos trilhos. Essa tática é particularmente eficaz no caso das contrapartes que preferem evitar conflitos.

Como se defender

Se alguém tentar pegá-lo de surpresa:

- Não reaja. Como é exatamente isso que a outra parte está esperando, não ceda ao estratagema. Fique calmo e mostre seu profissionalismo.
- Faça um intervalo. Dê a si mesmo tempo para refrescar a cabeça e absorver as novas informações.
- Peça detalhes. Saiba o máximo que puder sobre a nova informação que acabou de receber e determine se é realmente algo com que se preocupar.
- Peça ajuda. Se a outra parte introduzir novas informações na negociação e você não estiver preparado para lidar com elas, reúna sua equipe para discutir como lidar com isso.

Lidando com uma ausência surpresa

Às vezes, a surpresa pode tomar a forma da ausência de um membro da equipe ou supervisor importante da contraparte. A equipe envia outra pessoa para ocupar o lugar. A nova pessoa pode então (intencionalmente ou não) desgastá-lo com pedidos de informação para ser atualizado. A esperança é que você fique abalado ou até mesmo seja induzido a "ajudar" esse substituto – e, assim, ficar mais propenso a fazer concessões só para que as negociações avancem novamente.

Quando isso acontecer, mantenha sua compostura e fique focado nos objetivos e nos principais pontos da negociação. Concentre-se no processo, não nas pessoas. Se necessário, você pode sugerir esperar até que o negociador original esteja disponível novamente. Não permita que ausências imprevistas o peguem de surpresa.

EXTRAS E MORDISCADAS

Essas são táticas comumente usadas, que você verá muitas vezes. Um extra é um pequeno ponto incremental ou concessão que um negociador acrescenta no final de uma concessão maior que já está sendo discutida. Por exemplo: "Comprarei seu produto se você der uma garantia de um ano". Mordiscada é uma variante do extra, geralmente guardada para o final da negociação, uma "última coisa" pedida depois que um acordo mutuamente benéfico é alcançado.

A tática geralmente funciona e pode ser usada em ambas as direções na negociação. Funciona porque o tamanho da solicitação é geralmente pequeno o suficiente para que nenhuma das partes queira que isso atrase o contrato. No caso da mordiscada, o momento é tal que ninguém quer reabrir a negociação. Alguns negociadores simplesmente não ficam felizes a menos que peçam e recebam algumas pequenas concessões. Negocia muito com seus filhos? Você verá muitos extras e mordiscadas, alguns movidos pelo ego – da mesma forma que com os adultos.

Colocando extras e mordiscadas em ação

Extras e mordiscadas fazem parte do jogo e podem ser usados para tornar a sua vitória um pouco mais doce. No entanto, como na maioria das manobras, eles só funcionam se usados com parcimônia – se você adicionar muitos pedidos, sua contraparte se fechará e pode ser necessário começar de novo. Sutil e cativantemente é melhor; não demais ou muito evidente, e sempre com muito jeito e graça. Não deixe que os extras e mordiscadas atrapalhem o resultado ganha-ganha.

Os extras e mordiscadas podem ser calculados com antecedência ou pensados na hora, se as condições permitirem. Caso você sinta na sua preparação ou nos primeiros estágios da negociação que a contraparte está cautelosa em dar garantias de um ano, guarde esse ponto para o final ou acrescente-o a uma concessão maior que está fazendo. Isso preservará a percepção do resultado ganha-ganha.

Como se defender

A melhor defesa é reconhecer o extra ou mordiscada como aquilo que realmente significa: uma manobra e um acessório do contrato principal concebido para trazer um pouco mais de satisfação à outra parte. Avalie-o rapidamente e se não for muito oneroso para você, vá em frente e aceite o extra como um custo de fazer negócios, como parte do preço para alcançar o resultado ganha-ganha. Se os extras e mordiscadas ficarem muito grandes ou numerosos, reclame para sua contraparte e faça-a recuar. Não tenha receio de pedir para interromper e recomeçar a negociação, se necessário. Você também pode lançar mão de alguns extras e mordiscadas de sua parte na negociação.

Algumas concessões são mais iguais que outras

Só porque uma concessão parece pequena ou vem como uma pequena emenda no final, não pressuponha que ela o seja. Reserve um tempo para avaliá-la objetivamente – não deixe que a necessidade emocional de preservar o acordo ou concluir a negociação o force a fazer concessões exageradas nos extras ou nas mordiscadas. Não saia de sua agenda, metas e objetivos.

UMA BREVE LISTA DE OUTRAS TÁTICAS

Outras manobras para as quais se preparar

Aqui estão alguns outros truques e manobras comuns de negociação que você verá – e que poderá usar – de vez em quando:

- **Dinheiro de brincadeira.** O dinheiro de brincadeira é dinheiro real apresentado de uma maneira que faz com que pareça menos real. Ao apostar, você troca dinheiro por fichas, uma tática que os cassinos utilizam para fazer os clientes se sentirem como se não estivessem jogando com dinheiro de verdade. Na negociação, a outra parte pode usar dinheiro de brincadeira – permutas, concessões não monetárias. Pode até dizer coisas em porcentagens ou pontos em vez de moeda, para desviar o seu foco do custo ou preço.
- **Distração.** Uma distração é um chamariz brilhante ou um espantalho. Uma contraparte pode entrar numa negociação com uma solicitação *enorme* – uma garantia de dez anos – na esperança de obter outra coisa – uma garantia de um ano ou alguma outra grande concessão. Ela nunca esperava realmente obter a garantia de dez anos, mas queria mudar o equilíbrio de poder na negociação.
- **Oferta "irrealisticamente" baixa.** Você pode ouvir uma oferta ou concessão única que se evapora quando entra nos detalhes da negociação. Ouve um ótimo preço, mas depois a outra parte começa a falar de várias condições adicionais ("Bem, esse preço só vale na primeira terça-feira depois de uma lua cheia"). Mas agora você já foi fisgado.
- **Hesitação.** Em uma variante do "pego de surpresa", a contraparte lança um preço ou cláusula "fora de série" no acordo apenas para avaliar a sua reação. Você hesita – e o grau de sua hesitação é usado como ponto de partida para encontrar algo com que você possa concordar. É claro que você pode trabalhar a ideia em sentido contrário, usando uma resposta hesitante

para fingir surpresa e fazer sua contraparte titubear, mesmo que considere a oferta justa ou próxima a isso.

- **Pressão.** O negociador – especialmente o intimidador – usa essa tática para fazer com que você duvide de sua posição ao rejeitar toda a sua oferta, usando termos como: "Você terá que fazer muito melhor do que isso" ou "Isso não é bom o bastante para mim". A contraparte usa a pressão para ganhar poder e abalá-lo. Ela pode estar tentando fazer com que você se sinta feliz por poder apresentar uma oferta diferente. Para se defender contra essa tática, faça muitas perguntas sobre os motivos de sua proposta não ser boa o bastante; você pode descobrir que as objeções desaparecem rapidamente.
- **Bicho-papão.** Um bicho-papão é utilizado como bode expiatório, algum tipo de objeto imutável que impede a flexibilidade em um acordo. Como exemplo, a contraparte pode culpar o gerente ou alguma regra interna por não poder reduzir certas taxas. Quando detectar um bicho-papão, faça muitas perguntas ou até fale com o responsável, se for uma pessoa. Se for uma regra, peça para ler a regra. Chegue à autoridade por trás do bicho-papão quando puder.

O QUE FAZER QUANDO VOCÊ ESTÁ EM DESVANTAGEM

Como se alavancar

Além das táticas específicas descritas nas seções anteriores, seria útil levar algumas estratégias e táticas mais gerais em sua caixa de ferramentas de negociador para lidar com situações em que o equilíbrio de poder decididamente não pende para seu lado.

O poder de negociação depende de vários componentes, todos trabalhando em conjunto para criar o efeito de alavanca que você pode usar durante a negociação. Em termos ideais, ambos os lados têm poder de barganha mais ou menos igual. Dito isso, é comum perceber que um tem mais poder do que o outro. Ambos os lados normalmente têm pontos fortes e fracos que podem ser aproveitados para criar soluções ganha-ganha que funcionam para as duas partes. No mundo real, porém, por vários motivos, você pode se encontrar em uma posição de poder desigual.

Suponha que a outra parte tenha uma reputação de prestígio, seja uma especialista há muito reconhecida no assunto, tenha habilidades de negociação superiores e conte com uma equipe estelar dando-lhe apoio. Você não tem nenhuma dessas vantagens, o que o torna o mais fraco na negociação. Você ainda pode se sair bem, porém precisará se preparar mais. Aqui estão algumas táticas para lidar com o fato de estar em desvantagem:

- Reconheça a situação. Não se deixe intimidar por essas credenciais – em última análise, elas não afetam o ganha-ganha.
- Descubra onde pode conseguir uma vantagem. Traga seus próprios especialistas, faça um inventário cuidadoso de suas capacidades e elabore uma proposta especial que seja diferente da concorrência. Analise todos os aspectos do que você está tentando fornecer ou fazer para sua contraparte – preço, qualidade, serviço, garantias, marca, sustentabilidade, facilidade de fazer negócios – e determine seus pontos fortes, especialmente em comparação com os concorrentes.

- Pesquise o que não sabe. Se a falta de conhecimento sobre os problemas faz com que você fique em desvantagem, tome a iniciativa de preencher a lacuna. Faça uma pesquisa rápida. Procure na internet. Use sua rede social e profissional. Aprenda o que puder o mais rápido possível; torne-se um "especialista instantâneo".
- Seja confiante. Entre na negociação como se não pudesse fracassar. Não ceda – não importa o quanto sua contraparte seja forte ou desagradável. Permanecer firme desloca o equilíbrio de poder logo de cara. Pode exigir um pouco de encenação, mas projetar confiança irá ajudá-lo tanto no curto quanto no longo prazo.

SE VOCÊ NÃO ESTIVER PRONTO

Em poucas palavras, se não estiver pronto para negociar, não o faça. Talvez você precise de mais tempo para se preparar ou de mais informações da contraparte; seja qual for o motivo, faça o que puder para evitar colocar-se em uma posição da qual se arrependerá mais tarde. Informe o mais cedo possível à outra parte que você não está pronto; veja se conseguem marcar outra data. Ofereça uma alternativa e seja o mais preciso possível para que ela não fique com a impressão de que você está procrastinando.

Caso precise de mais informações da contraparte, peça para fornecerem. Explique como esses detalhes irão ajudá-lo a resolver o conflito que está atrasando sua preparação.

Se a situação estiver difícil, lembre-se do paradigma ganha-ganha – você quer ganhar, e a outra parte também merece ganhar. Relembre-a dessa filosofia. Você precisa ter – e pedir – tempo suficiente para se preparar, para vir à mesa com uma chance razoável e igual de ganhar. Se a contraparte não consegue agir de acordo com esse princípio, ela pode não estar apta para fazer negócios no longo prazo.

ESTUDO DE CASO

Táticas para usar no "dia do show"

Depois de silenciar o CEO intimidador da empresa Dewey & Cheatum em sua proposta para tornar a Produções Cinematográficas o fornecedor exclusivo de serviços de vídeo, seus desafios ainda não acabaram. Você pode ter se saído bem com Cheatum, o policial bom, mas Dewey, o policial mau, ainda pretende diminuir sua oferta para aquilo que ele considera um acordo melhor. Para responder-lhe, você precisará utilizar algumas táticas.

Você pode continuar falando com Cheatum, o policial bom. Pode trazer o seu próprio policial bom; por exemplo, o editor de vídeo ou até mesmo seu cônjuge, que cuida da contabilidade e administra o negócio. Pode ainda tentar (isso é difícil!) ser ao mesmo tempo o policial bom e mau, assumindo uma posição mais dura e depois recuando um pouco para fazer seu oponente sentir uma pequena vitória.

Também pode tentar a tática do figurante na forma de um depoimento ou mesmo uma aparição ao vivo de um cliente semelhante. Tudo para fazer Cheatum, e especialmente Dewey, se sentirem bem com seu trabalho; até desencadear uma disputa competitiva ("Bem, se meu concorrente fez esse ótimo comercial com a Filmográfica, eu vou conseguir um também!") poder funcionar a seu favor. Você poderia oferecer um chamariz, como um vídeo em alta definição de maior qualidade a um preço mais elevado, mas depois dizer que eles não precisam de uma produção tão cara para o que estão pretendendo realizar – portanto, o custo será muito menor.

Conforme as negociações avançam, você pode empregar uma ampla variedade de táticas. Espantalhos podem entrar em ação. Afinal, fotógrafos e videomakers têm muitas táticas boas de itens para jogar fora. Uma "locação" para as filmagens soa caro e dispendioso, mas na realidade a maioria dos videomakers prefere trabalhar nas próprias instalações do cliente em vez de alugar fora e adaptá-la ao roteiro. Da mesma forma, as cópias de vídeo podem parecer custar mais caro do que o seu custo real de produção e, assim, ser usadas como concessões fáceis em todo o processo. Você também pode oferecer algumas filmagens extras das instalações da empresa "de graça", pois, afinal, já está no local.

Quanto mais espantalhos puder jogar fora, mais cooperativo e solidário parecerá, apesar de esses espantalhos não representarem uma concessão muito grande da sua parte. Você pode surpreendê-los com uma taxa extra para alugar o equipamento de filmagem mais moderno, e depois cancelar a cobrança porque desde o início já pretendia mesmo usar esse equipamento mais caro, e adicionar outra coisa ao acordo para cobrir o custo. Alternativamente, seria possível recuar na taxa especial, usando o elemento-surpresa para tornar o cliente mais receptivo a uma remuneração global mais elevada.

Taxas de viagem, taxas de edição e taxas de arrendamento e outras podem ser inseridas como extras ou mordiscadas no fechamento das negociações. Se você fez bem sua apresentação ao longo da negociação e o cliente sentir que está prestes a obter uma vitória geral, você poderá receber algumas dessas concessões e ganhará um pouco mais.

Mas, novamente, não exagere nessas táticas e manobras. Você pode acabar mal na fita, e ninguém quer um produtor que tenha uma reputação de aparecer mal na fita.

Capítulo 6

Teatro puro – negociação no palco

No capítulo anterior, examinamos algumas das táticas e manobras mais comuns que um negociador pode usar para apelar às emoções de uma contraparte e distraí-la do que poderia ser o caminho mais prudente. Essas manobras foram principalmente no conteúdo e não na apresentação ou "encenação". Neste capítulo, vamos explorar o "teatro" puro de ação, as táticas verbais e visuais que um negociador pode empregar. Uma contraparte pode intencionalmente usar a teatralidade para desestabilizá-lo um pouco e obter uma vantagem, ou subconscientemente usá-la com o mesmo efeito. Como sempre acontece, você pode fazer mais do que apenas identificar e defender-se contra essas táticas; também pode ser inteligente em sua encenação no "dia do show" e colocá-la em prática para alcançar seus próprios objetivos e resultados.

Abordarei várias táticas verbais e visuais de negociação neste capítulo para que você possa reconhecê-las pelo que realmente significam: teatralidade. Devo observar que essas manobras têm mais poder durante uma negociação frente a frente do que em uma negociação virtual. No entanto, os princípios dessas táticas ainda se aplicam. Guarde o programa da peça, diminua as luzes e que comece o espetáculo!

FINGIR-SE DE BOBO

Sabendo mais do que eles pensam que você sabe

Você, ou sua contraparte, pode optar por "fingir-se de bobo" - ou seja, parecer menos informado ou preparado do que realmente está – para apelar ao ego do outro ou conseguir mais informações. Em vez de arriscar um confronto desagradável dizendo diretamente: "Por que o seu departamento de produção não conseguiu atingir a cota anual?", você pode fingir-se de bobo e pedir os números deste ano para compará-los com os do ano passado.

Você já sabe a resposta, mas ao fingir-se de bobo, fez a outra parte ficar menos defensiva. Ela pode começar a acreditar que você não sabe que não atingiram a cota, e isso pode dar-lhes uma falsa sensação de confiança de que sabem mais do que você. Também podem se mostrar mais dispostos a fazer revelações adicionais sobre a redução dos números. Fingir-se de bobo é uma maneira de pescar mais e manter sua isca na água.

Esta tática pode permitir a confirmação das informações que você já sabe. Você também pode saber a resposta, mas se fingir de bobo lhe dá a chance de avaliar a franqueza de sua contraparte; você poderá avaliar o quanto a resposta dela corresponde ao que você já sabe.

QUANDO SUA CONTRAPARTE SE FINGE DE BOBA

Se você começar a ouvir muitas perguntas "sem ir direto ao ponto", sua contraparte pode estar fingindo-se de boba, esperando que você cometa um erro. Se achar que ela está sondando demais, que o fingir-se de boba é uma tática concebida apenas para enganá-lo, precisa acabar com o interrogatório. Você não está em julgamento. A melhor abordagem é confrontá-la diretamente: pergunte imediatamente se há algo mais profundo sobre o qual ela gostaria de falar e tente determinar qual é o objetivo dessas indagações. Pode ser que ela simplesmente queira mais informações e não as tem em mãos.

Às vezes você pode desarmar esse tipo de cenário utilizando a mesma tática. Caso sinta um questionamento desnecessário visando a induzi-lo a erro ou inflar artificialmente o seu ego, você pode adotar a mesma postura. Basta fazer perguntas abertas sobre algo que você já sabe. Agindo assim, você ganha tempo para determinar seus próximos passos. Vale a pena saber mais sobre um assunto do que você leva sua contraparte a acreditar.

Da cartilha de Sócrates

O filósofo grego Sócrates ensinava seus alunos a pensar logicamente e a discutir as afirmações que eles próprios faziam. Com esse objetivo, ele os envolvia em um debate filosófico que acabava por levá-los a uma contradição de sua afirmação original. Ao participar ativamente do debate, os alunos aprendiam a pensar por si mesmos. No final, aprendiam a ver através da armadilha do questionamento de Sócrates.

Quando você sentir que o método de Sócrates está sendo utilizado – isto é, perguntas intermináveis destinadas a levá-lo a uma armadilha –, pare! Redirecione cada pergunta a um objetivo principal, questionando como a pergunta está relacionada com os objetivos que ambos estão tentando alcançar. Explique que você não quer perder tempo com intermináveis perguntas triviais que não levam a soluções. Dê respostas curtas para desencorajar mais questionamentos.

SEJA O INQUIRIDOR

O poder de fazer perguntas

As perguntas são um componente importante de qualquer conversa e, particularmente, das negociações. Elas cumprem muitas funções. A maioria é constituída por tentativas de obter fatos e elementos "simples" à mesa de negociação – o histórico, a experiência e a cultura, sempre cheios de nuances *por trás* dos fatos –, mas algumas perguntas dissimulam uma agenda oculta. A arte de estruturar e formular perguntas, geralmente sem muito tempo para pensar, é importante para o sucesso da negociação. O fato de aprender a reconhecer os vários tipos de perguntas irá ajudá-lo a conseguir formular questões habilmente direcionadas – além de permitir a identificação de agendas ocultas em perguntas destinadas a você.

Descreverei três tipos de perguntas com os quais você precisa estar familiarizado: vaga, carregada e indutora. Você, sem dúvida, já se deparou com todos esses tipos e também utilizou cada um deles pelo menos uma ou duas vezes.

PERGUNTAS VAGAS

Perguntas vagas são exatamente isso: não levam a uma resposta específica. Como tal, podem suscitar respostas inesperadas. Se a outra parte faz perguntas vagas, é fácil interpretar erroneamente o que realmente se quer saber – e você pode responder algo que não tinha intenção de revelar. Por exemplo, a pergunta "Qual a precisão desse número?" é uma questão vaga fantasiada de detalhes superficiais. Pense nas possíveis respostas que poderiam ser dadas e logo você percebe que praticamente não existem respostas específicas. Você poderia responder com "bastante preciso", "altamente preciso" ou mesmo "100% preciso". Em qualquer um dos casos, não são respostas específicas; são respostas vagas. Mas ao dá-las você indica alguma ambiguidade no número, o que convida a uma discussão mais aprofundada que, por sua vez, pode fazer surgir algo que você não pretendia revelar.

"Você está tendo um bom dia?" é outra pergunta vaga – em relação a quê? Pessoalmente? Profissionalmente? Parece inocente, mas é uma pergunta vaga que pode evocar uma resposta vaga ou uma específica que você realmente não queria dar.

Para contrapor-se às perguntas vagas, basta pedir mais detalhes. "Este número parece certo para você? Parece muito alto ou muito baixo?" "Você está me perguntando sobre como está o meu dia de trabalho até o momento?" Se sua contraparte estiver usando perguntas vagas para pescar informações e respostas inesperadas, obtenha detalhes exatos sobre o que ela quer saber antes de entregar demais.

PERGUNTAS CARREGADAS

Mais engenhosa e perigosa do que a pergunta vaga é a pergunta carregada. A pergunta carregada se parece mais com um julgamento embrulhado em um belo pacote arrematado com um ponto de interrogação. Parece que estão lhe perguntando algo, mas na verdade você está sendo levado a uma conclusão – geralmente negativa. Por exemplo: "Sua equipe ainda está desorganizada?". Qualquer que seja a resposta, você está preso a uma conclusão negativa. A resposta "sim" é obviamente negativa; o "não" admite alguma desorganização no passado.

Perguntas carregadas o forçam a admitir algo negativo, qualquer que seja a resposta dada. Uma escuta cuidadosa o ajudará a identificar perguntas carregadas. Mais uma vez, o caminho para bloquear esses ataques é pedir esclarecimentos ou reformular a questão antes de responder.

Quando responder a uma pergunta com outra pergunta

Se responder direto a uma pergunta carregada, você de certa forma valida a pergunta e a posição negativa que ela implica. Ao responder direto a uma pergunta do tipo "Sua equipe ainda está desorganizada?", você está praticamente admitindo concordar com o fato de que a equipe esteve desorganizada, implicando que a única questão pendente é se ela continua desorganizada.

Portanto, a melhor maneira de lidar com essa pergunta é não a responder diretamente. Você pode, em vez disso, responder com outra pergunta. "Quando você viu alguma evidência de desorganização da minha equipe?" ou "Quando foi a última vez que você teve contato com a minha equipe?".

A bola passa para o outro lado. Agora é o seu inquiridor que fica na defensiva.

PERGUNTAS INDUTORAS

Os advogados usam frequentemente perguntas indutoras e, quando o fazem, em geral segue-se rapidamente uma objeção da outra parte nos tribunais. Uma pergunta indutora tenta conseguir uma resposta específica para provar o argumento do autor da pergunta.

Exemplos de perguntas indutoras em uma negociação podem ser: "Esse preço é realmente alto, não é?" ou "Sua programação de entrega não é muito mais demorada que a de seus concorrentes?", ou "Sua empresa teve muitos problemas de controle de qualidade no passado, não é mesmo?". Você pode facilmente perceber, pela forma como foram estruturadas, que essas perguntas têm como alvo uma resposta específica.

Uma característica de muitas perguntas indutoras é a interrogação acrescida no final: "não é?", "não é mesmo?" e assim por diante. Uma pergunta seguida por esses complementos costuma ser indutora.

No tribunal, uma pergunta indutora pode ser usada para gerar uma apresentação dramática ao júri. O advogado da outra parte faz uma objeção a uma pergunta indutora porque ela tenta enganar a testemunha, fazendo-a concordar. Geralmente o advogado já sabe as respostas para as perguntas – ele preparou a arguição e está usando a testemunha como parceira, sem que ela saiba.

Se você achar que a contraparte está usando perguntas indutoras para provar um argumento, lembre-a educadamente de que você não está sendo julgado e que gostaria de poupar tempo discutindo as questões de forma mais objetiva. Ou responda à pergunta como se ela tivesse sido estruturada sem a indução: "Como a sua programação de entrega se compara à de seus concorrentes?".

Quanto mais falam, menos eles dizem

Algumas pessoas falam muito como forma de compensar a falta de força em sua posição na negociação. Quanto menos têm a oferecer, mais elas falam para compensar suas deficiências.

QUANDO ELES FALAM DEMAIS

Enfrentando a tagarelice

Uma discussão bem equilibrada envolve uma quantidade igual de "falar" e "escutar" entre todas as partes. Todos os negociadores gostam de sentir que aquilo que dizem é importante para os demais. Quando têm a oportunidade, porém, algumas pessoas costumam monopolizar a conversa ou discussão falando demais. Às vezes, isso é intencional; outras vezes, a pessoa não percebe o quanto está falando. Todas as negociações têm um ritmo de "dar e receber" e de "falar e escutar". Falar em excesso pode fazer com que você e a negociação se desviem do curso normal.

Você está falando demais?

Se você perceber que está falando demais, pare imediatamente, peça desculpas por monopolizar a conversa e gentilmente passe a palavra. Reconhecer o erro ajuda a retomar o ritmo da negociação e a ficar bem com os demais. Se outros estiverem falando demais, você pode educadamente dizer-lhes para "levar a conversa para algo mais objetivo" ou alguma outra frase desse tipo.

Razões para divagar

A divagação pode ser parte de um estilo de negociação e quanto mais você percebe os sinais, melhor consegue adivinhar as intenções. Uma divagação pode ser intencional ou puramente acidental. Apresentamos, a seguir, um rápido guia de campo.

Dentre os sinais de uma divagação intencional, incluem-se:

- Negar a oportunidade de outra pessoa participar com comentários ou perguntas, mesmo quando você sinaliza que tem algo a acrescentar.
- Ignorar seus comentários e perguntas, ou dizer: "Vamos conversar sobre isso mais tarde".

- Interromper quando é a sua vez de falar.

Dentre os sinais de uma divagação acidental incluem-se:

- Repetir pensamentos, falar rapidamente e usar muitas frases de efeito, em um possível sinal de nervosismo e insegurança.
- Fazer muitas piadas e falar com pouca objetividade; embora possa parecer que a pessoa esteja evitando os assuntos, isso pode ser uma tentativa de causar boa impressão ou estabelecer uma conexão. Ela parece desejar atenção.
- Preencher os silêncios falando sobre outras preocupações ou objetivos; a pessoa pode sentir-se desconfortável com longos períodos de silêncio ou estar pensando em voz alta.

Conversa-fiada? Ou excesso de informação?

A fala em excesso pode ser usada como tática para bombardeá-lo com tanta informação que você não se dá conta dos pontos importantes. A contraparte pode dar-lhe todos os fatos pertinentes e, em seguida, fornecer um dilúvio de informações, fazendo com que você perca o foco. A manobra o sobrecarrega com tantos dados que você se esquece das perguntas que tinha preparado sobre os problemas reais, não percebe os pressupostos errados e perde a chance de inquirir sobre as áreas cinzentas.

Pode ser difícil obter respostas diretas das pessoas que divagam. Quanto maior a resposta, mais difícil fica extrair as informações que você precisa. Se necessário, repita a pergunta (e a resposta!) até que fique bem claro para você qual é a resposta real. Se a outra pessoa tentar fugir da pergunta com uma linguagem ambígua, continue pressionando.

NEGOCIAÇÃO AOS GRITOS

Lidando com a explosão de berros

Poucos momentos dramáticos afetam mais os ouvidos de alguém do que ouvir gritos. Eles fazem com que nos sintamos desconfortáveis ou até envergonhados, especialmente se outros puderem ouvir. Os que gritam sabem disso e podem optar por usar esse desconforto em seu proveito.

Existem diferentes razões para gritar. Nós gritamos por medo ("O que o chefe vai pensar se eu não voltar com esse contrato assinado?"), por agressão ("Estou lhe dizendo em alto e bom som por que isso é importante!") ou como uma tentativa de manipular, desestabilizando a contraparte e mantendo-a insegura sobre como a negociação está evoluindo. Nem todos gritam pelos mesmos motivos, então ouça atentamente o que a outra parte está falando (ou gritando) para entender as pistas.

Geralmente – como na maioria dos outros atos teatrais –, a melhor reação é manter a compostura e seguir em frente com calma profissional. Tente descobrir o motivo da gritaria escutando atentamente (e ativamente) e fazendo perguntas.

Deve ficar claro logo se o comportamento é motivado por estresse ou se é apenas uma encenação. Peça explicações de forma diplomática e calma; tente não ser defensivo. Se os gritos surgiram do estresse (por exemplo, de um prazo apertado), tente ajudar a contraparte a descobrir as causas do estresse (talvez, discutindo o prazo de entrega). Mostre empatia e lembre à sua contraparte que vocês estão buscando um resultado ganha-ganha.

Não grite de volta

A pior coisa que você pode fazer quando sua contraparte começa a gritar – por mais tentador que seja – é gritar de volta. Isso apenas dá mais motivos para que a gritaria continue e a situação se agrave. Em vez disso, peça um intervalo, organize seus pensamentos, faça algumas perguntas para acalmar e mude o foco de volta para uma discussão factual. Manter-se sereno, focado no racional e no resultado ganha-ganha – em vez de na emoção – deve acalmá-la.

OUTRAS EXPLOSÕES EMOCIONAIS

Da gritaria, passamos para um tema mais geral de explosões emocionais: dramas encenados por alguns dos melhores negociadores com o objetivo de conseguir o que querem. Além de gritaria, você pode ver lágrimas fingidas, ameaças mal disfarçadas, indiferença encenada ou mesmo superioridade – a lista é longa. O propósito dessas atuações é mexer com suas emoções e obter o controle de seus pensamentos – e ver o quanto você é maleável. Você é facilmente influenciável? Ou está focado nos fatos e na lógica da negociação?

A melhor maneira de lidar com essas teatralidades é, em primeiro lugar, ignorá-las e, em segundo lugar, tentar entender seu verdadeiro significado. Você pode fazer um intervalo nas conversas. Se as explosões forem graves, pode propor adiar ou reprogramar a negociação. Tente transmitir a mensagem de que você não vai responder nem ceder a encenações teatrais. Se as explosões emocionais parecerem de fato reais, use um pouco de empatia para descobrir de onde vem esta reação de sua contraparte.

Cuidado com a explosão emocional

A explosão de raiva é o tipo mais comum. Histórias tristes e sentimento de culpa também podem ser usados para você acreditar que a situação é pior do que aparenta. Também pode haver desamparo fingido, em que a contraparte quer que você pense que ela está desistindo – e que só há uma coisa que você pode fazer para que ela volte: ceder.

Mas lembre-se: se você ceder a essas encenações, elas provavelmente serão usadas de novo.

Se virar um abuso flagrante

O abuso vem de várias formas. O agressor se esforça para causar estragos em seu ego para alcançar seus próprios objetivos. Agressores usam ataques pessoais para obter o controle. O abuso verbal – na forma de xingamentos, linguagem chula, exploração emocional, manipulação e crueldade – tem a intenção de abalar sua autoconfiança e bem-estar.

Se você estiver sendo agredido, mantenha a compostura. Interrompa a negociação e informe à contraparte que o comportamento abusivo é inaceitável. Se você não se defender, perderá o respeito dela e a invectiva continuará.

O QUE NÃO É DITO

Linguagem corporal

Em geral, a parte mais importante de uma conversa frente a frente ou por vídeo não envolve palavras. Embora os psicólogos discordem sobre as porcentagens exatas e sustentem que depende da situação, o entendimento majoritário – pelo menos em um contexto frente a frente – é que 55% daquilo que é realmente comunicado vem da linguagem corporal, 38% do tom de voz e 7% do que é dito de verdade.

Esses números são um poderoso lembrete de que você deve observar e ler os gestos, expressões faciais, contato visual, postura corporal e o uso do espaço para avaliar o que sua contraparte está tentando dizer ou até mesmo o que está sentindo no momento.

Ficar fluente na linguagem corporal requer tempo, esforço, prática e aplicação, mas vale o esforço. Ter habilidade com a linguagem corporal é útil para revelar agendas ocultas, descobrir os verdadeiros sentimentos de uma pessoa, ter ideia sobre o caráter dela, prever reações e tomar consciência de seu próprio comportamento não verbal. Veja a seguir alguns princípios orientadores da linguagem corporal e dos comportamentos.

LINGUAGEM CORPORAL É COMPORTAMENTO SUBCONSCIENTE

Na maior parte das vezes, não sabemos que nossos corpos estão se comunicando silenciosa e subconscientemente com o resto do mundo. A linguagem corporal é instintiva. As pessoas não movem conscientemente os braços quando falam – acontece naturalmente; é uma resposta neurológica a sentimentos internos complexos. É uma reação natural os braços se moverem, os pés ficarem balançando e os olhos se desviarem quando envolvidos em uma conversa. De fato, parece muito antinatural realizar esses comportamentos de forma consciente.

O desafio de ler a linguagem corporal está no fato de que ela pode ser muito enganosa. Muitos sinais não verbais podem ser interpretados de inúmeras maneiras. Embora existam algumas generalizações, cada sinal é único da pessoa e do contexto.

Vale a pena observar como a linguagem corporal é usada em conjunto com a fala. Depois de desenvolver alguma experiência nisso, você perceberá que os sinais não verbais podem enfatizar as palavras faladas ou enfraquecê-las. Por exemplo, se uma pessoa diz estar satisfeita com sua oferta, mas ao mesmo tempo aperta a caneta ou cerra o punho, você pode se perguntar se, na realidade, ela não está insatisfeita. Para testar essa hipótese, faça algumas perguntas para ver se ela consegue se abrir dizendo como realmente se sente.

"Controlar" – trata-se apenas de uma encenação?

A capacidade de controlar a linguagem corporal é uma parte importante de ser um ator. Bons atores conseguem reprimir a linguagem corporal natural e projetar uma aparência de emoção bem diferente daquela que estão realmente sentindo. Os negociadores que também são bons atores podem utilizar esse conjunto de habilidades em seu favor. Muitas vezes, é possível determinar o grau de atuação observando o comportamento deles fora da negociação – antes, depois, nos intervalos e assim por diante. Cuidado – e fique esperto.

Existem mais sinais não verbais do que eu poderia enumerar, e há várias maneiras de interpretá-los. A tabela a seguir oferece uma amostra útil de alguns desses sinais não verbais mais comuns:

Sinais não verbais comuns	
Linguagem corporal	**Possível significado**
Mãos crispadas, aperto forte no objeto	Frustração
Cabeça erguida	Interessado, atento

Sinais não verbais comuns	
Linguagem corporal	**Possível significado**
Cobrindo a boca com as mãos	Desonestidade, exagerando a verdade
Braços cruzados	Defensivo, imutável, oposição
Pernas, tornozelos cruzados	Competitivo, oposição
Inquieto	Apreensivo, desconfiança
Dedo batendo de leve ou tamborilando	Enfado ou apreensão
Assentir frequentemente com a cabeça	Ansiedade
Mãos juntas (na forma de uma igreja)	Confiança
Mãos no rosto, queixo ou óculos	Pensando, examinando
Mãos nos quadris	Confiança, impaciência
Mãos na mesa	Firmeza
Mão na cabeça	Desinteressado, desrespeitoso ou discordando
Inclinando-se para frente	Entusiasmado
Mãos ou braços abertos	Mente aberta, acessível
Esfregando o nariz ou a testa	Tenso, conflituoso
Olhando de lado	Desconfiança ou incerteza
Sentado na beira do assento	Preparado, entusiasmado
Postura relaxada, inclinando-se para trás	Desafiador, rejeitando
Pigarro	Nervosismo ou impaciência

Esses sinais básicos são visíveis e bastante universais. Alguns, como o pigarro, podem ser detectados em uma situação "invisível" (quando a negociação ocorre por telefone). Mas saiba que nem todos os seres humanos fazem tudo da mesma maneira, e o movimento de mão de um indivíduo pode não necessariamente sinalizar os mesmos sentimentos internos de outro.

PISTAS COMPLEXAS

Como seria de prever, a coisa fica mais complicada. Muitas pistas, como expressões faciais e vocalizações, são mais sutis ou são combinações de outras pistas, como as descritas abaixo.

Expressões faciais

Ao longo de séculos, desenvolvemos uma ampla gama de comportamentos sociais, incluindo o expediente de transmitir uma mensagem com um simples olhar. Assim que encontramos alguém pela primeira vez, passamos a medi-lo e imediatamente procuramos por sinais que indiquem seu caráter antes mesmo de começar a conversar. As expressões faciais representam uma grande parte dessa avaliação inicial.

As expressões faciais podem rápida e facilmente resumir a disposição de uma pessoa em tempo real e são "leituras" inestimáveis durante todo o desenrolar de uma negociação. As principais expressões faciais incluem levantar as sobrancelhas (incerteza, preocupação), coçar o nariz (confusão), abrir bem os olhos (surpresa, descrença, ansiedade) e franzir os olhos (contemplativo, questionador). Você já viu todos esses sinais em sua vida profissional e pessoal. Como negociador, vale a pena parar e pensar sobre o que significam e aprender a identificá-los em suas interações.

Vocalização

Sua voz é fundamental para expressar o que você sente. Tom, tempo e cadência podem ser tão importantes, se não mais, que a escolha de palavras na comunicação. A voz pode ser usada para transmitir uma opinião, chamar a atenção de alguém, apaziguar ou acalmar os nervos, ou obter dicas sobre as intenções da contraparte.

O tom de voz contém muitos elementos: altura (alta ou baixa frequência), intensidade (ênfase) e volume (sonoridade), entre outros. Esses elementos aumentam ou diminuem a importância de certas palavras que são ditas, e podem facilmente ser mal interpretados ou compreendidos. Considere o seguinte exemplo, onde as palavras em negrito indicam a ênfase:

- O **que** você quer?
- O que **você** quer?
- O que você **quer**?

Observe como o significado de cada pergunta se altera dependendo de onde está a ênfase. Se ainda não estiver claro, leia cada uma em voz alta com a inflexão apropriada e pense em como você reagiria a cada pergunta.

Fale calmamente – e tenha atitude

Os tons altos podem ser usados para conseguir a atenção de alguém ou para frisar um ponto, mas podem parecer ameaçadores e cheios de raiva, e, assim, prejudicar o objetivo. Tons suaves e tranquilos fazem com que as pessoas se sintam relaxadas e seguras e, consequentemente, com maior propensão a ouvir o argumento. Confiança tranquila respaldada por fatos sólidos ("atitude") é o melhor caminho, estimulando uma solução ganha-ganha. Mas não tranquila demais – você pode sinalizar fraqueza e ser ignorado.

Tempo e cadência

Tempo refere-se à rapidez com que você fala (atropelando as frases ou falando de maneira lenta e calculada). A cadência, por outro lado, refere-se ao ritmo ou ao estilo de sua voz (monótono maçante ou variações animadas). Se sua contraparte estiver falando rápido demais, ela pode estar impaciente – ou pior, nervosa ou apreensiva. Se a voz soar sem qualquer inflexão, tons ou altura, ela pode não se importar ou estar distraída. Mas não vá longe demais com essas interpretações. Tempo e cadência podem simplesmente fazer parte do estilo de fala da pessoa e não ser nenhum indicativo. Mais uma vez, uma avaliação "informal" durante os intervalos ou fora da negociação pode revelar o verdadeiro estilo de fala.

As vantagens e perigos da negociação eletrônica

No mundo conectado de hoje, a comunicação não verbal pode ainda transcender as palavras realmente usadas, embora não tão facilmente. Mensagens de texto e e-mails também têm um tom – podem ser muito breves, curtos e diretos; usando até uma única palavra. Ou podem ser amigáveis, loquazes e explicativos. Por causa do esforço em geral mínimo para produzir essas mensagens, especialmente de texto, você não deve interpretar coisa demais nas mensagens concisas. Mas ainda pode identificar alguns sinais, especialmente se a pessoa envia mensagens mais amigáveis em outras ocasiões ou se é amigável pessoalmente. Em caso de dúvida, envie uma mensagem amigável; se a resposta ainda for curta, você pode estar lidando com uma contraparte desinteressada ou irritada.

Ler nas entrelinhas é algo que todos nós fazemos, o tempo todo, não importando o meio de comunicação.

LIDANDO COM – E USANDO – A LINGUAGEM CORPORAL

Lendo as pistas

A linguagem corporal é subconsciente e inata para a maioria das pessoas; é parte integrante de quem somos. Embora seja importante saber que algumas reações podem ser controladas, a maior parte é natural. Portanto, é uma janela valiosa para os verdadeiros significados e intenções de alguém em uma negociação.

Você realmente não consegue se defender contra a linguagem corporal; a melhor defesa é estar ciente e reconhecê-la como tal. Mesmo sem ser um ator talentoso, você também pode usar a linguagem corporal - e, em alguns casos, modificá-la um pouco - para ajudar a alcançar seus objetivos de comunicação.

Espelhando sua contraparte

Eis uma maneira eficaz de gerar confiança na outra parte: repetir o estilo dela de fala, escrita, e-mail, mensagens de texto, tom de voz e postura. Se for feito com habilidade (sem parecer zombar da pessoa), sua contraparte se sentirá compreendida e você terá estabelecido uma base para uma comunicação aberta.

Não imite, mas tente usar estilos de comunicação familiares e confortáveis quando fizer sentido.

As pessoas naturalmente têm uma tendência a favorecer um sentido em detrimento de outro - seu sentido visual, seu sentido auditivo e seu sentido ou necessidade de estrutura. Use a seguinte ênfase (na realidade, um estilo de comunicação não verbal) quando perceber que alguém se enquadra em uma destas categorias:

- **O visual.** Pessoas que preferem entender seu mundo a partir de uma perspectiva predominantemente visual respondem a cores, formas, elementos de design gráfico e movimentos físicos. Elas tendem a gostar de fotos, desenhar figuras e às vezes fazem afirmações como: "Parece claro do meu ponto de vista" e "Eu entendo de onde vem sua opinião". Além de usar formas visuais de comunicação sempre que possível, você pode incorporar elementos visuais em seu próprio discurso: "Essa visão parece boa para mim".

- **O auditivo.** Essas pessoas estão sintonizadas com um mundo de sons. Elas tendem a ouvir antes de ver e recordam suas vivências descrevendo primeiro os sons daquele momento. Elas são boas em observar o tom e os sons do movimento (portas batendo, suspiros de frustração). Suas afirmações incluem: "Isso soa bem para mim", "Eu ouço o que você está dizendo" e "Não tenho que ouvir isso". Procure fazer com que os sinais auditivos emitidos por você sejam claros e perceptíveis.
- **O estrutural.** Alguns precisam ver – ou ouvir – a estrutura em tudo o que você está falando. Sua apresentação deve ser visual ou auditivamente estruturada para que eles possam ver os elementos de um fato, afirmação ou conclusão. As discussões estruturadas devem conter muitas placas sinalizadoras: "Primeiro, X, segundo, Y, e por último, Z". Tal abordagem ajudará esse tipo de pessoa a processar o que você diz e aonde quer chegar.

LENDO E ENVIANDO SINAIS APROPRIADOS

Como você pode ver, a linguagem corporal pode ser difícil de dominar. Às vezes você realmente precisa observar o contexto, o quadro completo, para conseguir uma leitura verdadeira. E é fácil interpretar mal. A leitura da linguagem corporal pode acabar virando uma adivinhação; nenhuma pessoa pode ter 100% de certeza sobre os verdadeiros significados ou intenções de alguém. No entanto, algumas técnicas e testes podem ajudá-lo a identificar padrões e inconsistências na contraparte e em você mesmo.

O pré-teste da linguagem corporal

No início de uma negociação, você e sua contraparte geralmente conversam amigavelmente para estabelecer uma conexão e se conhecerem. Durante esse processo, você também passa a conhecer a personalidade não verbal dela. Procure padrões de respiração, expressões faciais, sorrisos (e que tipo de sorriso - amigável ou sarcástico), ouça o tom de voz e observe o contato visual. Depois de guardar essas impressões na memória, use-as como ponto de referência assim que as negociações começarem.

Mostre um rosto feliz – e consiga que sua contraparte faça o mesmo

Uma técnica para decifrar a linguagem corporal é fazer sua contraparte falar sobre algo que a deixa feliz – namorado, filhos, animais de estimação ou carros. Como ela não finge estar feliz a respeito disso, você pode observar a linguagem corporal enquanto ela fala sobre o "Fofo", e depois procurar esses sinais "felizes" mais adiante na negociação.

Quem está blefando?

A melhor maneira de saber se alguém está blefando durante uma negociação é fazer perguntas. Se você identificar sinais não verbais (alteração, nervosismo, desaparecimento repentino do contato visual) sugerindo que sua contraparte está blefando, investigue um pouco. Peça-lhe para dar mais informações caso perceba que a linguagem corporal não é muito consistente com o que ela está dizendo.

Olhe no espelho

Isso ajuda a entender sua *própria* linguagem corporal. Se quiser ter certeza de que está enviando os sinais corretos, faça um vídeo de você falando (mesmo se for um discurso de aniversário ou um brinde ao seu melhor amigo) e assista mais tarde. Observe seus próprios comportamentos não verbais e depois pergunte aos colegas, amigos ou até mesmo familiares como eles interpretaram sua linguagem corporal. Após conhecer esses sinais subconscientes, você pode trabalhar no desenvolvimento de um rosto que não demonstre emoções.

O silêncio vale ouro: usando e interpretando o silêncio

O compositor francês do século XX, Claude Debussy, resumiu o poder do silêncio de uma forma muito bonita: "A música é o silêncio entre as notas". O silêncio pode mudar ou alterar a dinâmica da conversa de muitas formas sutis.

O silêncio pode ser uma ferramenta importante para manter o controle da discussão ou dar aos outros (ou a você mesmo) tempo para pensar. A presença do silêncio faz com que muitos dos mais extrovertidos dentre nós se sintam desconfortáveis – alguém deve estar sempre dizendo alguma coisa, certo? Nesse cenário, o extrovertido pode "preencher o vazio" na discussão, revelando mais do que deveria.

O silêncio também é uma ótima maneira de dar à sua contraparte a chance de expressar algo que ela esperava o momento certo de falar. Depois de ter feito o seu discurso, fique em silêncio para induzi-la a falar. Ela apreciará essa sua atitude de não tentar monopolizar a conversa. Não diga nada, e deixe acontecer.

O silêncio também pode ser usado para pressionar a outra parte. Pode colocá-la em situação difícil e, de novo, induzi-la a uma reposta despropositada ou para a qual ela não estava preparada. Ao ficar em silêncio, você pode conseguir que a contraparte abandone uma posição de poder – claro que subconscientemente. A contraparte provavelmente não perceberá que está sendo colocada em uma situação difícil.

Uma vez dito tudo isso, tome cuidado para não usar (nem tolerar) o silêncio em demasia – você pode parecer passivo-agressivo e, portanto, não confiável. Outros mais "ousados" podem tomar a palavra e desviar a reunião de seu curso normal ou as contrapartes podem achar que você não está interessado. Da mesma forma que com todas as outras ferramentas, manobras e táticas, utilize o silêncio com moderação; não seja previsível.

ESTUDO DE CASO

Ouvindo a linguagem não falada

Como representante da Produções Cinematográficas, você está em meio às discussões com a Dewey & Cheatum sobre passar a ser o fornecedor exclusivo de serviços de vídeo para a empresa. Afastou os ataques do intimidador, um papel desempenhado pelo CEO Cheatum. E por conhecer a rotina do policial bom/policial mau, conseguiu jogar um executivo contra o outro. Com o uso de espantalhos, fez algumas concessões, como filmagens nas próprias instalações da empresa, que não são realmente significativas para você, mas parecem grandes para o outro lado.

À medida que avança a discussão, você nota que um dos negociadores da Dewey está sentado curvado na cadeira, em silêncio e aparentemente meio que ignorando as conversas ao redor dele. Com braços e pernas cruzados, ele olha atentamente para um pedaço de papel na mesa à sua frente, rabiscando – sem fazer anotações sobre o que está sendo discutido.

Tudo neste homem grita: "Não!". Ele parece profundamente infeliz, como se Dewey estivesse prestes a pular de um penhasco. Você não é o único a observá-lo; outros negociadores da empresa também estão cientes, e a atitude fechada dele parece afetar a discussão, que aos poucos diminui.

Claramente você vai ter que conquistar esse homem. Mas antes de decidir como, faça um inventário rápido de sua própria linguagem corporal:

- Seus braços ou pernas estão cruzados?
- Você olha fixamente na direção dos outros?
- Frequentemente cobre a boca ou toca alguma outra parte do rosto?
- Está relaxado em sua cadeira?

Se esteve fazendo alguma dessas coisas, provavelmente enviou sinais errados para suas contrapartes. Lembre-se de que você busca uma negociação ganha-ganha e não alcançará esse objetivo se eles acharem que você está mal-humorado, ressentido ou escondendo algo.

Tendo identificado uma barreira ao ler corretamente a linguagem corporal, você utiliza táticas para trazer o recalcitrante executivo da Dewey para o seu lado. Você se abre para ele, física e verbalmente. Faz perguntas para descobrir se ele entendeu sua proposta e se está de acordo ou não. Você escuta. Faz um pouco de silêncio para dar-lhe uma chance de falar. Você o relembra do objetivo ganha-ganha. Todos por um, e depois, um por todos, você faz com que a negociação continue avançando.

Capítulo 7

Evitando as armadilhas comuns de negociações

Aqueles que têm uma vasta experiência em quase tudo, logo percebem – e sempre aconselham – que a melhor maneira de aprender o que fazer em uma situação específica é pensar no que *não fazer*. Quer ter um estilo de vida saudável? Eis o que *não fazer*: não coma muitos carboidratos e não fique sentado no sofá o dia todo. É uma fórmula surpreendentemente simples para o sucesso em muitos aspectos da vida.

Portanto, também vale para a negociação. Seja você um negociador experiente ou um novato, a negociação pode ser intimidante, confusa e até frustrante. Você provavelmente cometerá alguns erros ao longo do caminho. É uma característica natural do processo de aprender e de aperfeiçoar a sua técnica.

Mesmo os negociadores mais experientes aprendem a cada negociação. Como no jogo de xadrez, cada encontro se desenrola de maneira diferente, e há lições, nuances e aspectos de estilo a serem absorvidos. À medida que negocia, você aprende cada vez mais, da mesma forma que aprimorou suas técnicas de ser pai ou mãe ou seu estilo de liderança depois de anos de experiência. Algumas dessas correções acontecem na prática, durante a negociação.

Esses esforços de ajuste fino ocorrem naturalmente. Dito isso, vale a pena dedicar alguns minutos para estudar e internalizar alguns dos erros e armadilhas mais comuns, e mais graves, de negociações, para poder evitá-los. Tais erros e armadilhas são resumidos neste capítulo.

DEIXANDO DE "VER" O RESULTADO GANHA-GANHA

A armadilha do "vencedor leva tudo"

Para muitos de nós, a natureza está por trás de nossa motivação para "vencer" ao abordarmos a maioria dos problemas na vida. Nós nos esforçamos para sair por cima, para sair na frente. A todo custo queremos evitar perder. Esses instintos são naturais e saudáveis.

No entanto, em combinação com nossos egos, essa tendência natural pode nos transformar muito rapidamente em monstros horrendos e determinados. Quando o ego entra em cena, de repente não apenas procuramos vencer, como também obtemos uma liberação extra de endorfina quando a outra parte perde. Nós nos sentimos triunfantes, como se *realmente* tivéssemos concluído o trabalho! É verdade, como ocorre em muitos jogos de guerra, que em alguns casos podemos realmente ganhar mais quando a outra parte perde.

Pode ser uma boa maneira de travar uma guerra, mas uma guerra é um conflito – e a negociação não deveria ser. Adotar firmemente uma mentalidade de "ganhar" faz com que lutemos arduamente pela vitória, o que gera inimigos, discussões acaloradas e uma negociação empacada. Também nos leva a deixar de "ver" a vitória para a contraparte.

CHEGANDO AO "SIM", EVITANDO O "NÃO"

Como vimos anteriormente, uma negociação avança de forma mais rápida e suave – chega ao "sim" mais rapidamente – se o outro lado também obtiver algumas vitórias. Quando cada parte sai com alguns dos seus objetivos, necessidades e desejos atendidos, todo o envolvimento avança mais suavemente. Ninguém sai da mesa com ressentimentos, empregos perdidos ou outras fontes de desconforto. É mantido um relacionamento que permite e incentiva negociações futuras. Com essa mentalidade, vitórias de longo prazo são melhores do que vitórias de curto prazo.

Assim, a mentalidade do tipo "o vencedor fica com tudo" atrapalha a negociação ou acaba completamente com ela. Não siga esse caminho! Não avance na jugular e não se esqueça do motivo para estar ali. O resultado "ganha-ganha" é quase sempre melhor do que o apenas "ganha".

A CEGUEIRA DO "VENCEDOR FICA COM TUDO"

Quando você atua com uma mentalidade ganha-perde, sua capacidade de empatia com a outra parte fica diminuída. Você simplesmente volta a pensar nas suas necessidades, e não nas *deles*. Quando isso acontece, você está fadado ao fracasso, pois sua contraparte coloca as carroças em círculo e fica na defensiva para proteger os interesses dela – ela sabe que você não está pensando neles.

Às vezes, isso a leva a virar a mesa para lutar por uma vitória à sua custa. Você não se importou com os objetivos, necessidades e desejos dela, então ela não se preocupa com os seus. O conflito resultante é inevitável, e o agravamento desse conflito é provável.

O caminho para o sucesso é colocar-se no lugar do outro, entender sua organização, principais participantes e objetivos. Tal empatia permite que se elabore o acordo *certo*, ao mesmo tempo que não concede nem cede demais. Você fica aberto às necessidades e aos pontos sensíveis do outro, tentando acomodar o máximo possível sem comprometer seus próprios interesses.

A conclusão é simples: se você tentar demais torná-los um "perdedor", acabará perdendo também.

NÃO ESQUEÇA QUE OS NEGOCIADORES SÃO PESSOAS TAMBÉM

O elemento humano

Outro erro comum é não compreender e deixar de levar em conta os aspectos humanos de uma negociação. Sua contraparte é uma pessoa (ou pessoas) também; e embora os objetivos, processo e fatos da negociação devam ser prioritários, não se deve esquecer as motivações, emoções, nervosismo, esforços, personalidades, limitações organizacionais e outros fatores humanos da negociação.

Se levar em conta os fatores humanos e lidar com eles de maneira eficaz, em vez de considerá-los surpresas desagradáveis ou distrações, você chegará ao "sim" muito mais rápido e com menos atritos e ressentimentos.

SIM, ALGUMAS PESSOAS SÃO DIFÍCEIS

As pessoas são indivíduos, e cada uma tem uma visão diferente a respeito dos negócios e da vida. Nossas próprias experiências influenciam como vemos o resto do mundo e reagimos ao que encontramos. Quando duas ou mais partes sentam-se à mesa de negociação, pessoal ou virtualmente, cada uma tem uma opinião diferente sobre o engajamento e atua a partir desse ponto de vista. Isso pode gerar comportamentos – muitos dos quais foram discutidos em capítulos anteriores – que podemos considerar difíceis ou mesmo contraproducentes para a negociação.

O truque para lidar com esses negociadores difíceis é manter o foco no assunto em questão e não nas pessoas em si. Concentre-se no objetivo final e não permita que essas personalidades esgotem a sua energia. Procure não pisar em ovos nem se preocupar com a outra pessoa; permaneça focado na negociação ao mesmo tempo que tenta, dentro do razoável, atender às necessidades táticas e emocionais da contraparte. Lide com esse problema logo de início lembrando a todos de seus interesses, metas e objetivos em comum, que foram, na verdade, o que trouxeram vocês à mesa de negociação.

Se eles parecem ter uma intenção

Ao encontrar negociadores que transformam uma negociação estruturada e factual em um conflito pessoal ou discussão acalorada, você provavelmente está lidando com indivíduos que têm uma intenção pessoal. Essa intenção pode ser simples - sair por cima ou "vencer". Ou pode ser mais complexa: impressionar os outros à mesa, incluindo um chefe; lidar com algum outro tipo de pressão organizacional; obter resultados ou até uma promoção; ou salvar um emprego.

Seja o conciliador à mesa

Se a intenção pessoal continuar, dê um tempo para tentar criar um ambiente mais confortável. Faça um intervalo, se necessário; tente entender o que está acontecendo em uma conversa mais informal. Se uma gerente estiver presente, procure falar com ela em separado, se puder fazê-lo com muito tato. Sugira que os assuntos pessoais e o comportamento difícil estão interferindo, que você vem tentando acomodar a situação e que merece a mesma cortesia da parte dela. Mostre a ela que, embora respeite a situação e as opiniões deles, você prefere se concentrar nas soluções que favoreçam o acordo, sem permitir que uma intenção pessoal se sobreponha.

Seja o conciliador na negociação. Pense positivamente, mantenha-se positivo e faça o que puder para neutralizar a energia pessoal negativa.

Geralmente vale a pena dedicar um tempo para tentar entender de onde vem essa reação da outra parte, para poder recolocar a negociação nos trilhos. Há um momento específico, pressão da tarefa ou pano de fundo que você precisaria conhecer? Na maioria dos casos envolvendo problemas pessoais, você provavelmente não receberá uma resposta direta, mas pode ser que o fato de demonstrar alguma empatia e preocupação ajude a desarmar a agenda pessoal.

Também é útil ser sincero sobre suas pretensões e necessidades. Não coloque a culpa na outra parte e nem fique chateado por tudo parecer tão pessoal – isso pode fazer com que seu oponente fique menos propenso a resolver o problema junto com você. Quando sentir raiva ou agressão da outra parte, essas emoções em geral não têm nada a ver com você ou com o problema em questão; provavelmente são reflexos de outra coisa na vida pessoal ou profissional deles. Tratar disso abertamente – ou pelo menos demonstrar preocupação – pode ajudar os dois lados em seu esforço mútuo para chegar a uma conclusão ganha-ganha.

A linguagem pode ser muito importante

A língua, como todos sabemos, é cheia de nuances. Ela contém muitas palavras aparentemente inocentes que podem surpreendê-lo com o poder que possuem. Dentro de uma frase inofensiva, essas palavras podem criar um tom que soa ofensivo para qualquer pessoa que já esteja na defensiva. Embora não haja intenção de ferir ou causar desconforto, a contraparte entende mal e reage negativamente.

As seguintes opções de palavras podem ajudar a evitar soar agressivo demais:

- **"Eu" *versus* "você".** Em vez de dizer "Você ainda não respondeu à minha pergunta", reformule a afirmação: "Desculpe, ainda não entendi. Acho que alguns exemplos podem me dar uma ideia melhor". Ao colocar a culpa em si mesmo, você deixa claro que não está criticando – e sua contraparte ficará mais disposta a conversar.
- **Negativo *versus* positivo.** Palavras como "não posso", "não quero", "não devo" e "não" devem ser usadas com moderação. Em vez de dizer "Não posso fazer isso", tente: "Eu tenho algumas outras opções sobre as quais gostaria de ouvir sua opinião". Pode ser mais fácil explicar por que não pode aceitar a oferta se apresentando soluções alternativas.
- **Cuidado com o "mas".** Pense na palavra "mas" como um ponto de corte, uma sinalização negativa, além da qual sua contraparte pode parar de ouvir o que você está dizendo. Ela apresenta a ideia dela, você a reformula e imediatamente segue com uma afirmação "mas". "Nossos custos de produção são altos, mas os materiais que você está solicitando são caros". Para a pessoa na defensiva, isso pode soar como um ataque à ideia original. Pode parecer que foi errado ela ter apresentado aquela ideia. Tente retirar o "mas" da frase. "Os custos de produção são altos; o fornecedor cobra uma quantia X por esses materiais".

Em todos os casos, você deve ser concreto e usar fatos para respaldar suas afirmações. Não seja nem aparente ser difícil.

LIDANDO COM A OBSTRUÇÃO

Às vezes uma pessoa difícil é aquela que utiliza um estilo de negociação duro ou desafiador. Todos já vimos isso: uma pessoa perfeitamente normal, com uma personalidade amável ou colaborativa, inexplicavelmente se torna difícil de trabalhar. Essa mudança pode refletir uma dificuldade genuína na vida dela ou ela pode estar apenas obstruindo as negociações.

Existe uma diferença: a obstrução é uma manobra, como a do comportamento passivo-agressivo, e é propositadamente utilizada para desviar sua atenção do assunto que está sendo discutido e/ou para assumir o controle da discussão na busca de alterar o equilíbrio de poder. Depois de vários esforços para obstruir suas propostas fazendo perguntas irrelevantes, mudando de assunto ou rejeitando diretamente sua oferta, você pode pôr em cheque a manobra perguntando o quanto a contraparte está falando sério sobre terminar a negociação e não chegar ao resultado ganha-ganha. Peça uma explicação mais detalhada a respeito da oposição dela.

PERMITINDO QUE O ESTRESSE TOME CONTA

Faça do limão uma limonada

Pense na última vez em que você se estressou, particularmente antes ou durante uma negociação. Você suava, com o coração batendo e o corpo em alerta máximo. Teve dor de cabeça, de estômago ou náusea. Para algumas pessoas, especialmente negociadores menos experientes, essas reações ou "pró-ações", conforme o caso, são perfeitamente normais.

Muitos permitem que o estresse assuma o controle. Quando as coisas parecem azedar, temos dificuldade de pensar racionalmente ou falar com clareza. Esquecemos tudo. Atrapalhamo-nos no discurso. Podemos até parecer nervosos ou desconfortáveis. Esses efeitos do estresse podem sugerir fraqueza ou desviar a atenção sobre o fluxo da negociação.

O principal antídoto para o estresse – e os palestrantes profissionais poderão confirmar isso – é usar o nervosismo, a ansiedade, a própria energia nervosa e fazer do limão uma limonada. Não fique nervoso, seja assertivo! A contraparte nunca saberá que por trás dessa aparência autoconfiante está uma pilha de nervos tremendo. O que eles não sabem, eles não sabem. A seguir apresentamos algumas outras dicas para lidar com esses limões.

O GRANDE SEGREDO

Posso resumir o melhor antídoto para o estresse e a ansiedade em uma única palavra: *preparação*. Quando está preparado, você sabe o que está falando, e quando sabe o que está falando, você fala bem. Quando fala bem, a ansiedade desaparece. Esse ciclo de confiança é mais útil para aliviar o estresse do que um exercício de respiração, apoio, medicação ou qualquer outra ferramenta ou muleta poderiam fazer.

Já tratamos da preparação (ver Capítulo 3), de modo que não há necessidade de repetir aqui. Mas assim como os corretores de imóveis falam dos "três Ls" mais importantes no mercado imobiliário, "localização, localização e localização", eu digo que os "três Ps" de uma negociação bem-sucedida – e para fazer do limão uma limonada – são "preparação, preparação e preparação".

Faça sempre isso. Você ficará feliz tanto pelo resultado da negociação quanto pelo seu próprio sentimento e experiência.

O "lema do escoteiro" também funciona para a negociação

"Esteja preparado." Isso é o que se ensina aos escoteiros, e você faria bem em também aprender essa lição. A preparação é o antídoto para o estresse, pois lhe dará a força e a confiança necessárias para navegar em águas difíceis. Também reduz a ansiedade antes de entrar nessas águas. Ambos são vitais para "manter-se seco" em uma negociação.

Saiba o que o tira do sério

Parte de lidar de forma proativa com o estresse é conhecer e entender seus gatilhos. Negociadores implacáveis podem tentar fazê-lo perder o rumo sondando e expondo seus pontos fracos. Eles procuram provocá-lo. Sua primeira linha de defesa contra essa tática é conhecer seus gatilhos e se antecipar. Aqui estão alguns dos gatilhos mais comuns em que pensar:

- Você fica defensivo quando suas ideias são derrotadas?
- Você facilmente leva uma fala agressiva ou defensiva para o lado pessoal?
- Você se sente insultado quando alguém não concorda com você?
- Você se sente facilmente ofendido ou intimidado? Como isso acontece?
- Você cede ou agrada rápido demais?

Um negociador agressivo procurará sinais desses gatilhos e vulnerabilidades. O reconhecimento disso – e, de novo, a preparação – são as chaves de sua defesa. Perceba quando sua contraparte está provocando, respire fundo e exiba sua expressão facial profissional. Faça um intervalo, se necessário. Se você está sempre preparado e permanece assim durante toda a negociação, suas ideias não poderão ser legitimamente derrotadas. Você saberá e se sentirá confortado com isso.

O principal é evitar que o estresse se estabeleça e controle a sua psique.

Olhe dos dois lados antes de atravessar

Este ótimo conselho sobre atravessar a rua também se aplica a lidar com o estresse, especialmente o de sua contraparte. Seja sensível a esse estresse; evite ultrapassar os limites e aumentar os níveis de estresse dela. Pense antes de reagir para não destruir o relacionamento, causando mais estresse. Mas também não se renda ao estresse – de ambas as formas você perde terreno na negociação.

Se retaliar com raiva, a contraparte pode pensar que conseguiu trazê-lo para o território dela. Você foi colocado com sucesso na defensiva e tudo vai ladeira abaixo a partir daí. Suas respostas calculadas e ponderadas reduzirão o estresse – seu e dela – e impedirão que o estresse aumente durante a negociação.

ADMINISTRANDO MAL AS CONCESSÕES

Cedendo demais ou muito pouco

Concessões mal administradas podem fazer com que você fique sem alternativas caso ceda demais ou em aspectos importantes logo de início. Por outro lado, caso seja mesquinho com as concessões, você pode não obter as concessões que procura ou fracassar por completo na negociação. Aqui examinaremos alguns erros específicos que podem fazer com que as concessões fiquem aquém de seus objetivos.

O ACORDO ESTÁ NOS DETALHES

Quando você senta para preparar-se para a negociação, além de "visualizar" o acordo, também deve "ver" alguns dos detalhes. Isso significa pensar de forma aberta sobre possíveis concessões. Escreva as possibilidades, grandes e pequenas, que poderiam ser usadas em vários momentos da negociação. Certifique-se de que você e sua equipe compreendam quais são as principais peças e quais são os peões no jogo.

Avalie a competição!

Com o acesso atual às informações em tempo real, é fácil encontrar e avaliar possíveis concessões. Você tem acesso fácil às ofertas de produtos de sua própria empresa, fretes e assim por diante, mas também pode descobrir as de seus concorrentes com o clique de um mouse. A preparação inclui avaliar o melhor conjunto de concessões e o preço, custo e valor atualizados de cada um. É bem possível que sua concorrência possa armá-lo com todas as informações de que você precisa.

Não tenha medo de pedir

Não há por que se sentir ganancioso ou com medo de pedir algo que você acha que a outra parte considera insignificante. Nunca se sabe com o que sua contraparte estará disposta a concordar. Caso não tenha pedido concessões menores que poderia ter obtido, provavelmente se arrependerá mais tarde. Almeje alto. Mesmo se achar que está pedindo demais, seus objetivos podem não parecer tão ambiciosos para a contraparte quanto para você.

CEDENDO DEMAIS (OU MUITO POUCO)

Quando é sua vez de fazer concessões, um dos erros mais comuns é pensar que a contraparte valoriza sua oferta da mesma forma que você. Inevitavelmente, você concede demais ou de menos. Onde puder, tente imaginar como a concessão se encaixa no modelo de negócio deles. Caso trabalhem com uma linha de produção "*just in time*", você fica imediatamente sabendo que muito provavelmente a entrega acelerada é uma concessão de real valor para eles.

Mais uma vez, o melhor caminho é preparar-se antes da negociação e permanecer preparado durante a negociação trabalhando para entender melhor o negócio da contraparte durante as conversas. Você aprenderá o que desperta o interesse deles e o que tem mais (ou menos) valor para eles. Isso ajudará a apresentar a oferta certa – e a mais justa.

Não se esqueça de pedir algo em troca

Lembre-se: ao fazer concessões, peça sempre algo em troca. E tenha em mente que o momento certo de pedir pode significar tudo.

Você pode achar que é um bom gesto ceder em algum ponto porque imagina que pode pedir algo em troca mais tarde. O problema é que esse mais tarde nunca acontece de verdade ou você se sente compelido a ceder outra coisa quando chega o momento. Se não estiver registrando as concessões, não conseguirá acompanhar o que cedeu e o que recebeu. Você também poderá ter que recuar e reavaliar o que foi discutido no momento em que originalmente ofereceu uma concessão.

Faça por escrito

Sempre mantenha o controle sobre os principais pontos, decisões e concessões em uma negociação. Isso irá ajudá-lo a acompanhar o que aconteceu, o que foi dado e recebido, quais outras ações são necessárias. Como em um registro de tribunal, a documentação por escrito fornece uma referência útil para todos os envolvidos e torna muito mais fácil a elaboração de um contrato.

ALGUMAS OUTRAS ARMADILHAS

Suspendendo o fechamento, assumindo riscos errados, perda de foco

Por envolver a elaboração e documentação do acordo final, os erros cometidos durante a fase de fechamento podem ser mais onerosos do que outros já discutidos. No fechamento, suas negociações estão finalizadas; uma vez feito o acordo, não há como voltar atrás. Aqui estão algumas dicas a serem consideradas para evitar esses erros.

NÃO TENHA MEDO DE TRAZER À TONA ÁREAS CINZENTAS OU ERROS

Ao reexaminar os detalhes da negociação, você pode se deparar com um erro de cálculo seu, uma imprecisão em sua apresentação ou um erro em uma de suas concessões. Pode até descobrir uma concessão que não queria fazer. Quando houver um erro, mostre-o imediatamente, mesmo se for embaraçoso. Quanto mais você esperar, mais permanente ele se tornará. Pior, pode parecer que você plantou o erro como parte de uma manobra.

Além da coragem de apontar seus próprios erros, tenha a coragem de enfrentar as táticas de última hora da outra parte. Se a contraparte pedir uma concessão extra aqui e ali, não ceda só para ser o bom-moço e ajudar a fechar mais rapidamente o acordo. Eles podem não gostar muito de você nesse estágio, mas não tenha medo de dizer não.

Não tenha pressa

Tomar decisões porque se sente pressionado é um dos piores erros que você pode cometer, especialmente durante o fechamento. Leve o tempo que precisar para finalizar os acordos feitos – depois, ficará mais confiante com suas decisões. Algumas contrapartes tentarão pressioná-lo deliberadamente para que você pare de buscar concessões e faça o acordo. Se comprou um carro recentemente, sabe muito bem do que estamos falando.

Embora esse ritmo mais lento possa irritar sua contraparte, não seja coagido a finalizar nada de que você não esteja preparado. Além disso, saiba que a maioria dos prazos pode ser negociada. Mesmo que a extensão seja apenas por algumas horas, use o tempo extra de forma eficiente.

ASSUMINDO OS RISCOS ERRADOS

O uso de qualquer estratégia ou tática, seja durante a negociação ou no fechamento, traz certos riscos e, naturalmente, é importante determinar se vale a pena assumi-los. Compare o risco ou a desvantagem de qualquer ponto da negociação ou concessão, e até o tempo necessário para consegui-la, com a recompensa desse mesmo ponto ou concessão.

Muitos negociadores se esquecem disso e investem demais em minúcias com pouca recompensa ou não investem o suficiente em pontos que poderiam ser muito significativos para o resultado final. Se não vale a pena regatear algo, não regateie! Você perderá tempo, credibilidade e energia que poderiam ser usados para itens mais importantes e recompensadores.

Uma regra de ouro para o risco, que funciona bem, especialmente para investidores, é a seguinte: invista apenas o que você pode se dar ao luxo de perder. Esse modelo pode ser aplicado em muitas outras coisas – qualquer tática ou concessão ou oferta deveria ser medida em relação ao que você pode se dar ao luxo de perder ou ceder na negociação. Tenha em mente que aquilo que se perde pode ser de curto ou longo prazo; portanto, não se esqueça das consequências de longo prazo, como a oportunidade de negociar novamente.

Lembre-se de que um dos maiores riscos que você pode correr é não se preparar para a negociação. Além de a falta de preparo atrapalhar o processo, você se expõe a uma infinidade de resultados desfavoráveis. Não arrisque encurtar essa importante fase.

Não evite negociar

Sim, negociar pode ser estressante. Mas isso não sugere de jeito nenhum que você deve evitar a negociação. Certo, seria bom simplesmente assinar um acordo ou uma parte fundamental de um acordo e ir embora. Sem riscos, certo? Não, de jeito nenhum.

Você sabe o que acontece. Quando pressupõe que um acordo (ou um ponto dentro do acordo) está definido, mas nem você, nem a contraparte confirmaram, a coisa geralmente dá errado muito rapidamente. É melhor falar sobre isso, mesmo que por uma mensagem de texto rápida, um e-mail ou um telefonema. As negociações fazem parte de um relacionamento contínuo (geralmente). Não as evite. Evitá-las conduz a erros no curto prazo e prejudica o relacionamento de longo prazo.

Lembre-se: embora não negociar pareça evitar o risco, na verdade gera o risco.

MANTENHA EM FOCO OS SEUS OBJETIVOS

Esse erro caminha muito próximo da primeira armadilha: esquecer o resultado ganha-ganha. No entanto, o erro de perder o foco é um pouco mais geral, abrangendo metas e objetivos subordinados ao objetivo geral do ganha-ganha.

Perder o foco em metas e objetivos é uma armadilha comum – e perigosa. Você está tão envolvido com as questões do momento ou com as minúcias ou dinâmicas pessoais da situação que os objetivos originais ficam em segundo plano. O perigo, claro, é não cumprir o que se propôs a realizar, ou pior, que você ceda demais.

Você realmente não tem como errar se tiver sempre uma clara visão de seus principais objetivos. Se você e sua equipe (e a outra equipe) se mantiverem o mais próximo possível do conjunto original de metas e objetivos, emoções como raiva, ansiedade ou a sensação de estar sobrecarregado não os distrairão nem farão com que a negociação perca o rumo. Espero que você tenha escrito seus objetivos em algum lugar para que possa manter o controle sobre eles.

ESTUDO DE CASO

Quando você caiu em uma armadilha da negociação

Como presidente, CEO e CVO da Produções Cinematográficas, você trabalhou duro à mesa de negociação por duas horas. Mostrou seus melhores vídeos, explicou seus pacotes de produção e pensou em algumas concessões (mas ainda não as ofereceu), como produção mais expedita e filmagem a um preço reduzido.

Seus dois clientes, Dewey e Cheatum, se mostram distraídos. Vocês não estão se conectando. Na verdade, os executivos da Dewey parecem até um pouco aborrecidos; eles têm mais o que fazer e parecem querer voltar ao trabalho.

O que você faz? Será que inadvertidamente caiu em uma armadilha da negociação? É hora de fazer um inventário.

Você não conseguiu ver o resultado ganha-ganha? Será que ainda está em um caminho ganha-ganha? Pensou no que faria com que eles se sentissem vencedores? Você chegou até aqui, mas só apresentou seu horário disponível e o preço para filmar o próximo comercial. Ofereceu *algo* para tornar o negócio mais atraente para eles? Uma concessão no preço? Um cronograma acelerado de produção e entrega? Pense nisso. Eles não vieram negociar apenas para receber sua cotação de preço mais recente.

Você esqueceu que Dewey e Cheatum também são pessoas? Está tomando demais o tempo deles? Está mostrando exemplos de real interesse e relevância para eles? Será que está monopolizando a conversa ou fazendo algo para controlar a negociação ou desencadear uma reação emocional? Será que os indivíduos à mesa têm intenções pessoais ou problemas que distraem ou prejudicam a negociação? Qual é a dinâmica deles, afinal? Parecem estar sintonizados sobre o que realmente querem? Talvez você possa ajudá-los.

A IMPORTÂNCIA DO ESTRESSE

O estresse está influenciando excessivamente o processo? Você está confortável? Eles parecem confortáveis? Você está fazendo ou dizendo algo que faça com que se sintam desconfortáveis? Pare por um instante para fazer o inventário. Faça um intervalo, se necessário, e pergunte casualmente como têm andado os negócios ultimamente, como o último comercial da empresa foi recebido, como vão as coisas em casa. Procure fatores de estresse e tente acalmá-los.

Você administrou mal as concessões em algum ponto do caminho? Talvez, como mencionado, você ainda não as tenha feito; esperou demais. Talvez as concessões que você acha que fez, como a oferta de marcar a reunião na sede deles, sejam irrelevantes ou até mesmo onerosas para eles. Mais uma vez, pare e faça um inventário. Você tentou fechar negócio cedo demais, sem dar tempo suficiente para a contraparte se manifestar?

Você passou boa parte da reunião discutindo minúcias que eles consideram sem importância ou um desperdício de tempo? Mais uma vez, lembre-se de que está lidando com pessoas reais com empregos reais e limitações de tempo reais. Procure não desperdiçar o tempo de ninguém em uma negociação, especialmente com minúcias ou monopolizando a conversa. Deixe que eles falem também.

Lembre-se de que os intervalos podem ser usados não apenas para descansar e tomar café, mas também para fazer um inventário e conversar informalmente com suas contrapartes. Caso sinta antagonismo ou atrito vindo de alguém, tente conversar com essa pessoa. Descubra se a irritação está relacionada com o processo ou com o produto – ou seja: eles estão desconfortáveis com o processo de negociação em si ou com o que você tem a oferecer e com o custo? Um pouco de sondagem informal pode gerar alguns insights importantes, além de acalmar os nervos tanto deles quanto seus. Se você identificar a armadilha corretamente e redirecionar a negociação para contorná-la, a resposta parecerá positiva quando as conversas forem retomadas.

Além da necessária "pausa biológica", não pode haver melhor maneira de utilizar os intervalos em uma negociação. Evite as armadilhas sempre que puder, e corrija-as rápida e positivamente quando acontecerem.

Capítulo 8

Táticas de negociação em alta pressão

Como mencionamos nos capítulos anteriores, os negociadores podem usar inúmeras táticas e manobras para desviar sua atenção dos principais fatos e questões em uma negociação. Pequenos estratagemas táticos e emocionais podem distrai-lo, apelar para suas emoções ou então redirecionar o fluxo da conversa de assuntos vinculados à tarefa para considerações mais pessoais. O antídoto mais comum é identificar essas táticas e calmamente redirecionar a negociação de volta ao terreno objetivo.

Mas existem várias táticas e manobras maiores para discutir, às que me referirei como táticas de alta pressão, concebidas para forçar a contraparte a tomar decisões apressadas ou precipitadas por medo de perder completamente o negócio. Essas manobras podem assumir a forma de ofertas competitivas, prazos reais e imaginários, e vários tipos de ultimatos, todas dando a impressão de deixar pouco espaço para novas negociações.

No acelerado mundo dos negócios de hoje, o esforço para se chegar a uma conclusão pode parecer mais urgente do que nunca. Tudo acontece rápido. Todo mundo tem pressa no trabalho, nas reuniões, nas conversas – e nas negociações. Por esse motivo, é importante que você possa discernir as verdadeiras táticas de alta pressão das que pretendem simplesmente ir direto ao assunto e economizar tempo.

Uma vez tendo aprendido como reconhecer e combater essas táticas de alta pressão – que apresentarei neste capítulo –, você descobrirá que possui mais espaço de negociação do que pensa. Também pode querer colocar algumas dessas táticas em prática.

A PRIMEIRA OFERTA POUCO REALISTA

Exagerando o alcance do dar e receber

Você entra no local de negociação. Tira o casaco, troca gentilezas, desliga seu telefone, senta e começa a trabalhar. Mal começou e dispara sua primeira oferta: "Vamos vender-lhe mil dispositivos a R$100,00", sabendo muito bem que está preparado a fazer negócio por R$60,00 cada.

Fazer uma primeira oferta pouco realista é uma forma de ter uma "ideia" do quanto a contraparte está disposta a tirar ou dar para você. Você põe a oferta na mesa e depois lê a reação da contraparte. Em primeiro lugar, com base na expressão dela – raiva, insatisfação, surpresa, tranquilidade ou avidez –, é possível ter uma ideia sobre o que é aceitável ou está dentro do escopo daquilo que ela está disposta a negociar mais. Em segundo lugar, a primeira oferta pouco realista funciona como um chamariz, puxando a negociação ainda mais para o acordo que você está realmente disposto a fechar.

Como se defender

É claro que se você está recebendo essa oferta, sua melhor defesa é estar preparado. Conheça o mercado e saiba o que está dentro e fora dos limites. Não tenha receio de mostrar esse conhecimento para a contraparte. Você ganhará o respeito dela e diminuirá a capacidade dela de usar outras manobras desse tipo. Se, na verdade, você não estiver preparado e achar que uma oferta é pouco realista, entre na internet ou faça um intervalo para se informar rapidamente. Uma vez confirmando que a oferta não é realista, você pode apontar esse fato ou se contrapor com uma oferta pouco realista da sua parte.

Outra maneira de jogar na defesa é evitar completamente uma oferta pouco realista sendo aquele que faz a primeira oferta. Essa tática também permite fixar o ponto de partida para a negociação. Tenha cuidado para não se colocar em desvantagem com uma oferta muito generosa. Faça uma oferta baseado em informações, mas ligeiramente agressiva. Lembre-se de que é apenas um ponto de partida.

Embora seja um pouco rude, você pode reagir à oferta pouco realista da contraparte ignorando-a completamente. Comece a falar sobre outra coisa para diplomaticamente enviar a mensagem de que você não acha que valha a pena considerar a oferta.

Cuidado... não ofenda a contraparte

Se estiver utilizando a tática da oferta pouco realista, tenha cuidado. Sua contraparte pode se ofender com essa manobra, principalmente se estiver bem preparada e tiver pesquisado o mercado para trazer o seu próprio número. Se você sentir que ela está preparadas, tem amplo conhecimento e/ou possui várias alternativas, não comece com uma posição que esteja muito longe da verdade. O fato de ela ter consciência de suas intenções pode pôr toda a tática a perder. Nunca trate sua contraparte como estúpida ou desinformada.

A OFERTA "PEGAR OU LARGAR"

Aja agora e você receberá...

Na posição de consumidor, você recebe essa oferta o tempo todo. "Compre agora e ganhe 30% de desconto." Mas *hoje*, e somente hoje. O que você faz? O impulso é comprar hoje – muitas vezes realmente precisando ou não – apenas para fazer um bom negócio. Pois se você acordar na manhã seguinte e decidir "sim", pagará então 30% a mais. E não podemos deixar isso acontecer, não é mesmo?

Essa manobra bastante típica do varejo também acontece muito nas negociações: "Se você fizer o pedido hoje, nós não cobraremos o frete". Tentador, não é?

Pense no tempo e esforço que você dedicou à preparação para essa negociação. Quer jogar tudo isso pela janela deixando que essa manobra o influencie? O estratagema da oferta "pegar ou largar" é concebido para pressioná-lo a fechar negócio rapidamente. Essa pressão pode desviá-lo do caminho visualizado previamente e pode – embora não sempre – levá-lo a tomar más decisões. Claro, no atual mundo acelerado, as decisões podem e muitas vezes precisam ser tomadas rapidamente. Mas há uma diferença entre uma decisão rápida e uma decisão precipitada.

Como se defender

Mais uma vez, a melhor maneira de se contrapor a essa manobra é manter a calma e manter-se informado. Deixe sua informação e preparação o guiarem. Decida quando estiver pronto para decidir. Não tenha pressa, e ganhe um pouco mais de tempo fazendo intervalos ou negociando uma pequena "flexibilidade" na oferta "firme" de data de entrega. Tome um tempo (e peça, se necessário) para fazer mais pesquisa, fazer perguntas, garantir que a oferta seja consistente com seus objetivos e consultar sua equipe.

Tal como acontece com a oferta pouco realista, você também pode ignorar completamente essa tática. Quando a outra parte trouxer a oferta "pegar ou largar" para discussão, ponha-a de lado (talvez ignorando-a completamente) e continue a discutir as questões em andamento ou até mesmo a trazer algumas novas. Essa técnica passivo-agressiva lhe permite ganhar algum tempo e provavelmente atenua sua própria reação emocional. Veja se a oferta "pegar ou largar" vem à mesa novamente antes de responder. Se vier, você estará mais bem preparado e terá menor probabilidade de reagir emocionalmente.

Você também pode se contrapor com sua própria oferta "pegar ou largar", se conseguir preparar alguma rapidamente. E lembre-se: não é má ideia preparar antecipadamente algumas ofertas "pegar ou largar", não apenas como tática defensiva, mas para usar essa manobra em proveito de sua equipe.

ESCASSEZ E RETARDAMENTO DO JOGO

Aja agora antes que acabe...

Todo mundo já viu esse estratagema na vida diária. Você vai para a loja para conseguir um bom preço de liquidação em um item, digamos, uma nova televisão em alta definição. O vendedor calmamente explica as virtudes da televisão – e depois calmamente diz que restaram apenas duas e, quando forem vendidas, acabou o estoque.

O que você faz? Muito provavelmente, se estiver bastante perto de decidir que esse é mesmo um bom negócio, você compra a televisão. Por quê? Porque, da mesma forma que no estratagema da oferta "pegar ou largar", você não quer acordar na manhã seguinte pensando: "Eu poderia ter feito um ótimo negócio se tivesse simplesmente decidido rápido".

Certo. Isso acontece o tempo todo na negociação. A contraparte pode dar uma falsa sensação de escassez de estoque, capacidade de produção, tempo ou algum outro fator que poderia prejudicar o negócio se você não o fechar *agora*.

Como se defender

Ao suspeitar que esteja diante de um estratagema de escassez, a melhor abordagem é fazer perguntas para conferir. Tente determinar se ela é real: "Existem mais dessas televisões no estoque? Em pedidos feitos? Disponíveis on-line?". Procure também uma alternativa: "Se eu não comprar esse aparelho hoje, que outros modelos de televisão poderiam oferecer quase a mesma funcionalidade pelo mesmo preço?". Você talvez descubra que existem muitas alternativas e que uma BATNA (Melhor Alternativa a um Acordo Negociado) surgirá – a escassez de um modelo é real, mas não é um fator grande o suficiente para fazer você decidir correndo.

Tal como na maioria das manobras, a melhor defesa é antecipá-la, levar um tempo para entender o que está acontecendo, fazer perguntas e tomar sua decisão com calma e profissionalmente.

RETARDAMENTO DO JOGO

Retardar o jogo é o oposto da manobra do prazo "compre já". As táticas de retardamento são utilizadas pelos negociadores de várias maneiras: para interromper, para testar sua urgência ou para apaziguá-lo temporariamente.

Ao paralisar as conversas, uma contraparte interrompe a negociação geralmente afirmando que suas solicitações são "inaceitáveis" e que ela precisa de mais tempo para pesquisar, falar com o escritório central e responder. Muitas vezes pode parecer que está fincando o pé para obstruir o acordo. Ela usa o tempo como uma arma defensiva, e por vezes ofensiva (pode estar querendo que você faça uma concessão para recolocar as coisas nos trilhos).

Tenha em mente que algumas interrupções são provavelmente legítimas; pode ser bom para você que ela entre em contato com o escritório central para conseguir a aprovação de uma oferta melhor. Você terá de julgar na hora se a interrupção está sendo usada como uma tática agressiva ou produtiva.

Mais sutil é uma interrupção utilizada propositadamente para testar sua urgência. Nesses casos, a contraparte quer ler o quanto você está desesperado pelo acordo, pelo negócio oferecido por ela. Os vendedores de carros fazem isso, principalmente se não estiverem ocupados demais e puderem esperar; eles simplesmente se afastam para ir ao banheiro ou tomar um café e, em seguida, voltam para ver o quanto você está ansioso por fechar negócio.

Como se defender

Tudo bem dar à outra parte algum tempo para absorver tudo de modo que ela se sinta confortável com as decisões que está prestes a tomar, mas estabeleça um limite. Quando suspeitar da interrupção, é melhor perguntar e descobrir qual é o elemento que está obstruindo, e então negociar isso. Não passe a fazer concessões apenas para azeitar as engrenagens da negociação. O teste da interrupção/urgência pode parecer um jogo bobo de gato e rato. A melhor maneira de jogá-lo, no entanto, é antecipá-lo, não demonstrar as emoções e seguir negociando de forma profissional.

Naturalmente, uma das melhores maneiras de lidar com essa manobra é simplesmente sacar a agenda negociada e lembrar a todos na sala o que deve acontecer e quando.

Faça-os dizer o que irão fazer

Uma das melhores maneiras de neutralizar a bomba do retardamento do jogo é pedir um compromisso sobre o tempo específico de que a contraparte precisará antes de voltar à negociação. Se o motivo para a interrupção for real, ela voltará imediatamente com algo específico: "Precisamos de duas horas para entrar em contato com nosso gerente de produção; retornaremos para você" ou "Preciso de uma pausa para ir ao banheiro; volto em cinco minutos". Se parecer que ela está se esforçando para encontrar uma resposta específica, pode ser uma evidência de que estaria usando uma tática de retardamento do jogo.

LIMITES E CONCESSÕES FALSOS

Limites traçados na areia que desaparecem

Aqui estão duas outras manobras de negociação que você vê surgir de vez em quando: limites falsos e concessões falsas.

A MANOBRA DO LIMITE FALSO

Essa também é comum. Se você tem filhos, é provável que a use de vez em quando: atravessar um limite falso ou "absoluto" além do qual você não pode ir. "Eu não posso comprar uma bicicleta de R$1.600,00. Você terá de se contentar com a de R$1.300,00". É claro que você pode gastar R$1.600,00 em uma bicicleta; você simplesmente optou por não o fazer.

Nos negócios, os limites falsos são mais sutis e costumam ser influenciados mais por "motivos" externos. Por exemplo: "Não posso cobrar o preço de R$56,00 nesses dispositivos porque meu chefe não vai permitir; você terá de fazer o acordo por R$60,00". Claro que neste momento você nunca sabe realmente se o chefe estava envolvido. O limite falso ou fictício funciona como um ultimato – um ponto além do qual o acordo não é negociável. É uma maneira de acelerar a conclusão da negociação e de evitar mais discussões que possam levar a concessões.

Como se defender

Se você suspeitar de um limite falso, o primeiro passo é sondar sua veracidade; descubra se é verdadeiro ou não. Pergunte o que o gerente que estabeleceu o limite realmente disse, quando e por quê. Em seguida, analise o acordo como um "todo" e – se o preço for firme a R$60,00 – pergunte se existem outras concessões, como data de entrega, prazo de garantia, serviço e suporte, ou outros elementos que possam agregar mais valor para o seu lado da mesa, mesmo que o preço não mude. Você pode já deixar preparadas algumas concessões de sua parte. Fará um acordo melhor e poderá até conseguir que o preço mude se a contraparte perceber que uma concessão no preço é mais fácil do que alguma outra.

Resumindo: quando eles lançam um "limite" para você, a negociação ainda não acabou. Na verdade, pode ter apenas começado.

A MANOBRA DAS CONCESSÕES FALSAS

Suponha que você entre em uma loja para ver aquela linda jaqueta da vitrine. Uma vendedora se aproxima e diz: "A jaqueta custa R$300,00, mas estou tendo um bom dia; para você, vou vendê-la por R$260,00". Ela está avisando de antemão que está lhe oferecendo o negócio do século. Você sorri educadamente e volta a dar uma olhada na jaqueta. De repente, ela acrescenta: "Está bem, parece que você realmente gostou dessa peça, então vou vendê-la por R$220,00".

Outro desconto? Agora você realmente se interessou! Você pergunta sobre o teor de fibra, instruções de lavagem e assim por diante, e a vendedora reduz o preço em mais R$40,00. Sentindo que acabou de ganhar o grande prêmio, você paga pela jaqueta e sai satisfeito. Cinco minutos depois, outro cliente entra, começa a olhar para a jaqueta, no que a vendedora esperta diz: "Essa jaqueta custa R$340,00, mas, para você, vou vender por R$300,00".

Nos dois casos, a vendedora tinha um número fixo em sua mente o tempo todo. Ao exagerar o preço e depois oferecer algumas concessões, ela fez com que a venda parecesse um excelente negócio naquele momento.

Como se defender

Isso não é diferente da tática do chamariz apresentada no Capítulo 5. Você recebeu um número que atribui artificialmente um valor maior ao item. Quando a contraparte melhora esse número, você sente como se tivesse conseguido um acordo melhor. Suas emoções assumem o controle e você rapidamente compra, sem perceber que foi levado a achar que fechou um negócio melhor do que é na verdade.

A melhor defesa, além da preparação - por exemplo, alguma pesquisa de preço dessa jaqueta em outras lojas - é de alguma forma validar o preço original. Procure uma etiqueta, uma lista de preços, talvez uma evidência de vendas anteriores. Pense no preço original em um vácuo (isto é, sem os descontos). Seria um valor realista para esse item? Por fim, pergunte por que a vendedora está dando descontos tão agressivos. "Ter um bom dia" ou "estar ensolarado lá fora" provavelmente não são motivos suficientes. Além disso, em um acordo mais complexo, há uma boa chance de que, se não foi solicitada nenhuma concessão sua, então as que você recebeu podem não ser reais. Depois de descobrir o que é verdadeiro e o que é falso, aja racionalmente; não deixe suas emoções decidirem.

CONCORRÊNCIA E PRAZOS

Ganhando poder de barganha com pressão externa

Outras duas manobras envolvem exercer pressão em uma negociação para forçar concessões e/ou decisões precipitadas que possam levar a resultados ruins ou inesperados.

A MANOBRA DA CONCORRÊNCIA

Aqui, a concorrência real ou ofertas competitivas são usadas como uma espécie de figurante na negociação. Essa tática funciona, por exemplo, ao tentar escolher uma operadora de celular. Você pode visitar vários provedores de serviços para ouvir suas ofertas. Ao constatar que uma lhe parece mais adequada, mencione que você também esteve na Companhia B e recebeu um preço que está seriamente pensando em aceitar. Em nove a cada dez vezes que se utilizar deste expediente você receberá outra oferta imediatamente. Apenas continue essa abordagem até que a melhor oferta seja feita.

Como se defender

Suponha que os papéis se invertam; sua contraparte apresenta várias opções da concorrência para conseguir um acordo melhor. Você sente a pressão. No entanto, você pode ou não saber o que a concorrência realmente oferece (se estiver preparado, você *saberá!*). Caso não esteja totalmente a par das ofertas dos concorrentes, peça alguns detalhes adicionais. Descubra se há uma "proposta" em que algum outro recurso, como serviço de dados ou área de cobertura, foi diminuído para gerar o bom preço. Se a contraparte não souber, ela pode estar blefando; se ela *efetivamente* souber, você descobrirá muito mais sobre a concorrência. Se você vir que as ofertas são reais e válidas, negocie com base nessas informações; se não forem reais, bem, nesse caso negocie com base nessas informações.

A MANOBRA DO PRAZO

Os prazos – intermediários ou finais – podem ser usados não só para manter uma negociação nos trilhos como também para pressionar os negociadores. Especialmente com as negociações aceleradas de hoje, os prazos podem ser de um dia, algumas horas ou até alguns minutos – quase sempre há um prazo em algum lugar.

Como tática de alta pressão, os prazos, em especial se não forem mutuamente acordados de antemão, são muitas vezes usados para pedir concessões de última hora. As pessoas ficam naturalmente mais dispostas a se comprometerem quando enfrentam restrições de tempo. Quando muita coisa vem sobre nós ao mesmo tempo, é mais fácil se livrar dos fatores mais imediatos e estressantes do que dedicar um tempo para resolvê-los. Tem um contrato de trabalho expirando na próxima segunda-feira? É melhor estar preparado para fazer algumas concessões para efetivamente renová-lo.

Como se defender

Naturalmente, a primeira linha de defesa contra essa manobra é ter certeza de que o prazo é real. Os prazos, em especial os estabelecidos unilateralmente por um dos lados, podem ser reais ou arbitrários, como parte de uma tática para fechar um acordo. Sonde com perguntas a origem e a razão de um prazo. Peça flexibilidade no prazo também; raramente os motivos baseados no tempo são absolutos. As respostas podem dar-lhe uma ideia se o prazo é real e também podem indicar se o prazo em si é um ponto de negociação.

Alguns prazos podem ser mais informais ou feitos por conveniência do que outros. "Tenho que pegar um voo às 3h da tarde" indica um prazo, mas talvez não incontornável se houver um voo disponível mais tarde ou se a discussão puder continuar on-line. Repetindo, fazer algumas perguntas – e se dispor a oferecer uma concessão para estimular a contraparte a negociar por mais tempo – pode ajudar.

OFERTAS DE ÚLTIMA HORA E RETENÇÃO DE INFORMAÇÕES

Duas manobras de pressão final para influenciar um resultado

Como já descrito, o propósito das táticas de pressão é geralmente desestabilizá-lo para que você cometa erros e ceda mais do que pretendia. Essas duas últimas táticas são concebidas com esse objetivo.

A MANOBRA DAS OFERTAS DE ÚLTIMA HORA

Justamente quando está pronto para desligar seu laptop e fechar negócio, você ouve: "Espere! Temos outra contraoferta para você!". Naturalmente, qual é o seu estado de espírito nesse momento? Você terminou, chega.

Quando você terminou ou está prestes a terminar algo – digamos, esse trabalho de conclusão de curso da faculdade ou exame final – a última coisa que você quer fazer é rever tudo. Você está disposto a ceder algo, qualquer coisa, para não ter que revisar esse trabalho de conclusão. Então, o que você está propenso a fazer? Ceder algo, só para *não mexer de novo*. Isso, claro, é o que sua contraparte quer. Da mesma forma, seu locador pode segurar a informação e só contar sobre o aumento do aluguel bem no final do mês, porque aí você já estará pensando em ficar por mais um mês, sem mencionar que seria difícil mudar-se em tão pouco tempo.

Como se defender

Essa manobra é de difícil defesa, pois você não sabe o que pode acontecer no último minuto. Se sua contraparte já fez isso antes, naturalmente você pode estabelecer algo a respeito ao definir as "regras básicas" para a negociação em andamento. Também pode pedir um prazo maior para fechar negócio. Esse atraso lhe dá um tempo para reagrupar e voltar ao estado de espírito da negociação:

você precisa evitar agir muito apressadamente em uma tentativa emocional de não prejudicar um acordo feito.

Obtendo acordos rápidos

Prazos apertados podem levar a acordos rápidos, e a equipe com a abordagem mais eficaz de "solução rápida" pode sair na frente. Acordos rápidos eficazes acontecem quando uma ou ambas as equipes estão informadas e organizadas, permitindo uma apresentação rápida e eficaz. Os acordos rápidos podem trazer alívio para os dois lados quando prazos apertados estão envolvidos, e provavelmente levarão a uma vitória maior para o lado que lidera a elaboração do acordo. Mas se estiver sendo submetido a um acordo rápido, certifique-se de que o equilíbrio de poder seja relativamente igual e que você tenha tempo para pensar e preparar uma resposta.

Especialmente na atual era de negociação acelerada, a capacidade de fazer e de reagir a um acordo rápido é um recurso importante em seu kit de ferramentas de negociação.

A MANOBRA DE RETENÇÃO DE INFORMAÇÕES

Um pouco semelhante à oferta de última hora, uma contraparte pode esperar até perto do término do prazo para divulgar informações adicionais, deixando pouco tempo para você digerir os novos detalhes. Ela quer ver se você cederá sem absorver completamente as novas informações. "Bem, agora, se estiver interessado em alguns desses dispositivos brancos, eu tenho um excedente dessa cor; posso vendê-los por R$52,00", poderia ser um exemplo dessa manobra, se você estivesse prestes a fechar o acordo por R$60,00. Agora você precisa decidir rapidamente se pode ser branco... inclusive procurando discernir se a contraparte estava na realidade tentando o tempo todo se ver livre dos brancos por alguma razão.

Como se defender

A defesa é simples. Peça mais tempo. Mantenha-se calmo, julgue objetivamente. A fim de restaurar o equilíbrio, você também pode tirar algumas de suas concessões da mesa ou divulgar você mesmo algumas informações novas para consideração da contraparte.

Querendo isso agora: o uso de prazos como uma manobra

A maioria das concessões é feita perto do final do prazo de uma negociação, se houver. A explicação é simples. Quanto mais tempo as duas partes investirem no processo de negociação, menor será a probabilidade de voltar atrás ou desistir. Se uma parte exige novas concessões, é mais provável que a contraparte ceda para levar as negociações a bom termo. No entanto, ficar firme até o final e utilizar truques de prazo, como divulgar novas informações, é uma estratégia de alto risco; você precisará de paciência e autoconfiança para fazê-lo.

Sua contraparte está ciente das pressões e truques do prazo para também explorá-los. Lembre-se disso e não tenha medo de administrar os prazos propriamente ditos, estendendo-os ou apertando-os conforme o necessário para manter o controle da agenda. Conheça os prazos e utilize-os para manter o equilíbrio de poder na negociação.

Quando a milésima hora se aproxima, não se oponha a estender a negociação, se isso significar que vocês podem elaborar um acordo melhor com mais tempo. O melhor resultado ganha-ganha pode vir assim.

ESTUDO DE CASO

A concorrência tem uma proposta melhor?

Apesar de sua oferta de fazer uma produção mais expedita de graça, a Dewey & Cheatum continua recalcitrante; a reunião de negociação se arrasta. Parece que toda vez que você tenta resolver um ponto, os executivos da Dewey querem passar para outro item. Agora, eles estão focados em seus concorrentes.

Como presidente/CEO/CVO da Produções Cinematográficas, você está ouvindo: "Sim, é uma boa oferta, mas sua concorrente CMY Vídeo nos oferece os serviços X e Y por R$Z a menos que você".

Agora, será que é verdade ou Dewey está usando isso como uma manobra de negociação? Você adoraria saber.

A primeira coisa a fazer (isto é, se você ainda não se preparou para as ofertas de seus concorrentes consultando os sites deles e, principalmente, falando com alguns de seus clientes) é entrar na internet. Peça um intervalo, se necessário. Veja inclusive se a CMY faz o tipo de trabalho que você está oferecendo. Tendo concluído a pesquisa, uma de suas primeiras respostas poderia ser: "Sabe, a CMY Vídeo faz principalmente vídeos educativos. Esses vídeos têm um visual e uma qualidade completamente diferentes. Eu nem tenho certeza se alguma vez fizeram um comercial de televisão".

Nesse caso, você desarmou a manobra por conhecer a concorrência. Seria ainda melhor se você soubesse com certeza que eles *nunca* filmaram um comercial – quanto menos ambiguidade, melhor.

Você poderia lembrar à Dewey & Cheatum que a CMY é dona de uma grande cadeia nacional e que precisa enviar uma equipe de Nova York. Assim, teriam menor flexibilidade; e se acontecer de chover no dia da filmagem do comercial ao ar livre? E se tiverem que refazer cenas que não podem ser filmadas devido aos horários de voos?

Negociar diante de manobras de alta pressão muitas vezes significa pegar aquilo que é jogado sobre você e devolver com algo melhor ou com algo que seu cliente nunca imaginou.

Naturalmente, tudo feito de forma profissional e cortês.

Capítulo 9

Quando fechar, como fechar e quando abandonar a negociação

Essa analogia pode ser um pouco gasta, mas as fases do processo de negociação se assemelham a um namoro. Há um período de descoberta inicial, um período normalmente mais longo e mais estável de dar e receber, seguido por uma conclusão e resolução de seguir em frente... ou não. Como numa sequência de encontros românticos, à medida que avançam, com ou sem um prazo, você e sua contraparte acabarão desejando finalizar o acordo.

O acordo pode sair diretamente de um período de discussão harmoniosa ou ser forçado por um prazo. Também pode ser produto de acordo mútuo após um longo período de negociação. Vocês podem estar perto de um acordo com apenas alguns detalhes para acertar ou estar a quilômetros de distância e ainda não prontos para "casar". Este capítulo trata da preparação para esses estágios finais de resolução do processo de negociação, incluindo encontrar situações ganha-ganha tardias, resolver impasses e objeções de última hora, fazer mudanças de última hora e preparar o acordo final.

RESOLVENDO PROBLEMAS DE TROCA DESIGUAL

Lidando com acordos que pendem para um dos lados

Se a negociação foi suave até este ponto, os termos e concessões devem ser bastante fáceis de documentar e de se transformar em um acordo. Caso haja tempo, e se boas anotações foram feitas ao longo do processo, a equipe de negociação que fez o papel de "escrivão" pode documentar todos os elementos do acordo na hora, elaborar o contrato final e colher as aprovações ou assinaturas necessárias, reais ou virtuais, imediatamente.

A elaboração do acordo pode ser formal ou ser uma questão de tomar notas e distribuí-las às partes mais tarde para revisão final e ratificação. Às vezes é útil dar ao acordo algum tempo para assentar e cristalizar na mente de todos antes de finalizá-lo – talvez em uma reunião ou encontro posterior. Caso perceba que o acordo tende um pouco a seu favor, você pode querer evitar esse período de "reflexão" e prosseguir com o acordo final imediatamente.

Se o acordo negociado até agora ficar aquém do resultado ganha-ganha, pode haver mais trabalho a fazer. Geralmente é bom sair um pouco à frente, mas quando o acordo parece muito favorável a um lado só, problemas poderão surgir, variando desde a (des)aprovação imediata dos superiores, consultores ou equipes jurídicas até prejudicar o relacionamento de longo prazo entre você e a contraparte. É possível empregar várias táticas para resolver acordos que pendem para um dos lados e, se não houver solução, deixar a negociação de lado por enquanto pode ser a melhor opção.

CORRIGINDO O RESULTADO GANHA-PERDE

Os acordos ganha-perde acontecem quando são usadas fortes táticas de negociação posicional, muitas vezes marcadas por manobras emocionais, comportamentos agressivos, preparação ruim e/ou prazos apertados. Os acordos ganha-perde acontecem quando as contrapartes fincam o pé e não conseguem trabalhar para o resultado ganha-ganha. Essa teimosia e relutância em "perder" surgem da falta de visão e, em muitos casos, do ego. A negociação passou a ser uma questão tanto de ganho pessoal quanto de ganhos comerciais ou objetivos. Metas e objetivos de um ou de ambos os lados não serão atingidos.

A melhor maneira de lidar com essa situação é parar. Faça um intervalo na negociação e exerça alguma liderança; reafirme o objetivo ganha-ganha e faça o inventário do que cada lado ganhou e perdeu. Lembre a todos na mesa que o sucesso de curto e longo prazo vem de um acordo ganha-ganha. O tamanho das vitórias não precisa ser igual, mas ambos os lados devem alcançar algo em relação aos seus objetivos.

Você pode voltar a um ponto em que houve concordância na discussão e começar daí, avançando com uma divisão mais igualitária das concessões. Em uma negociação particularmente difícil, se o prazo permitir, você pode parar durante um dia, dando algum tempo para cada lado visualizar o acordo que funcionaria melhor para todos.

IMPASSE: QUANDO NINGUÉM GANHA

Um impasse ocorre quando as negociações chegam a um beco sem saída. Ambas as partes se entrincheiraram em um ponto e/ou usaram todas as suas concessões. O progresso parece fora de alcance; não importa quantas revisões ou reanálises das questões sejam feitas, as resoluções favoráveis parecem não estar à vista. No momento, as duas partes perdem, pois nenhuma delas alcançou seus objetivos. Além disso, a resposta emocional a esse impasse pode ser a raiva, terceirizar a culpa, e um potencial colapso na comunicação. Ambas as partes se retiram da discussão e, talvez, querendo salvar as aparências e não ceder, elas se recusam a voltar e interrompem as negociações. Resultado: um cenário perde-perde.

O impasse geralmente ocorre porque a melhor solução possível ainda não foi encontrada. Se uma ou ambas as partes parecem inflexíveis, pode estar faltando na discussão algo importante que poderia resolver o conflito. Pode haver um problema do tipo "elefante na loja de cristal" que ninguém mencionou – por exemplo, problemas financeiros em uma negociação comercial ou problemas emocionais ao negociar com seu filho adolescente. Ou o empecilho pode ser uma questão tática menor, como prazo de entrega ou o dinheiro do combustível que ainda não foi discutido, mas que certamente lubrificaria as engrenagens para que ambas as partes chegassem a um acordo.

Como na comunicação mais produtiva, vale a pena ser sensível, positivo, fazer perguntas e escutar de forma positiva. Mais uma vez, você ou outro membro de qualquer uma das equipes de negociação deve dar um passo atrás, fazer um inventário do acordo atual e avançar em direção a esse acordo: onde vocês estão e como chegaram até ali. Revendo os passos, vocês podem descobrir onde não deu certo e onde uma ou ambas as equipes poderiam inserir algo. Esse algo pode ser um pouco de informação, uma nova concessão ou uma ideia. Seja como for, o objetivo é encontrar uma maneira de mais uma vez fazer as coisas avançarem.

Um intervalo seria útil para você reunir e organizar seus pensamentos antes de começar a revisão. Outra tática é trazer alguém que não tenha testemunhado nem participado ativamente da negociação até o momento. Essa pessoa pode conseguir identificar possíveis pontos de resolução e sugerir formas de avançar. Alguém à mesa que não tenha sido muito ativo na negociação até agora também poderia servir para este fim.

Nunca é demais rever os objetivos da negociação. Às vezes é melhor se concentrar no realizado e não naquilo que falta realizar. Essa revisão põe energia positiva de volta na sala e ajuda ambas as partes a perceberem que podem concordar em algo.

Seja o um, não os dez

Eu chamo isso de síndrome do "um em dez", e acontece muito nos negócios. Para cada indivíduo fazendo as coisas avançarem com energia positiva, há outros nove questionando táticas, encontrando falhas e erros e até criticando a apresentação em PowerPoint. É uma verdade da natureza humana, especialmente nas burocracias, que é mais fácil encontrar falhas no trabalho de outra pessoa do que fazer você mesmo um trabalho construtivo.

Isso acontece o tempo todo nas negociações. Todos na sala se tornam críticos e dão palpites sobre o que está errado em um elemento específico de um acordo. Na visão deles, estão participando, contribuindo e mostrando a todos como são inteligentes. Na realidade, estão apenas trazendo energia negativa à mesa.

A energia negativa quase sempre retarda ou inviabiliza qualquer reunião comercial, incluindo uma negociação. Quando os membros da equipe têm a fixação de encontrar falhas, isso se torna um círculo vicioso; todos começam a fazer igual. Fica muito difícil avançar. Como líder ou membro importante da equipe, tente redirecionar essa energia para o positivo. Quando alguém entra na conversa com algo negativo ou com uma "falha", dê-lhe a palavra e peça para ele encontrar uma solução que elimine essa falha; uma solução que viabilize o acordo.

Concentre-se no positivo, critique os que ficam criticando e você devolverá a negociação para o formato "rápido, amigável e eficaz".

SABENDO QUANDO DESISTIR

Às vezes, não importa quanto tempo foi investido para fazer um acordo funcionar, chega-se a um ponto em que parece que é hora de abandonar a negociação. Os motivos podem ser bem aparentes: você não está satisfeito com a oferta final, tem novas informações, se sente desconfortável com a outra parte e suas táticas, uma (ou mais) oferta alternativa parece melhor ou você quer pesquisar uma opção melhor.

As razões podem ser mais sutis, psicológicas ou intuitivas. Por exemplo, se tem sido difícil trabalhar com sua contraparte ou ela se mostrou pouco confiável desde o início, você se pergunta como será lidar com essa pessoa ou organização durante a vigência do contrato; o comportamento dela talvez não melhore. Você também pode não querer negociar com ela novamente.

Desistir pode ser uma questão tanto de instinto quanto de fatos ou evidências concretas. Quando parece que a contraparte está sendo especialmente difícil ou não está buscando o resultado ganha-ganha, retirar-se da negociação não apenas economiza tempo, estresse e, às vezes, dinheiro como também envia uma mensagem à contraparte: ela está muito distante - factual ou emocionalmente - para continuarem. Muito provavelmente, se ainda houver alguma possibilidade de um resultado ganha-ganha, a contraparte voltará à mesa. Se não voltar, você pode entender que o acordo realmente não teria funcionado. É hora de seguir em frente e negociar com outra pessoa.

Não existe "eu" em "EQUIPE"

A decisão de abandonar é geralmente instintiva; no entanto, se você estiver negociando como parte de uma equipe, tome a decisão em conjunto. Se estiver agindo emocionalmente, outros membros da equipe podem aprumá-lo ou até mesmo ajudar a encontrar uma solução. Não desista antes de esgotar todas as alternativas.

FINALIZANDO O ACORDO

O fim está à vista!

Muito bem, aqui está outro cenário: a negociação funcionou e vocês estão quase lá! Por mais emocionante que isso pareça, ainda há mais alguns desafios a superar. Alguns desses desafios podem ser difíceis de enfrentar, mas evitarão obstáculos para chegar ao merecido fechamento.

O primeiro passo é revisar – fazer um inventário – o que foi realizado até agora. Elucide ou "adicione cor" (isto é, detalhes) aos pontos que necessitem de mais explicação ou clareza (entrega no dia seguinte – de manhã ou à tarde?). No meio de uma negociação, é fácil ser apanhado trocando concessões e fazendo ofertas e contraofertas. Tudo preocupa, desde os detalhes do que você está recebendo e dando até decifrar a linguagem corporal, o humor e a sinceridade da outra pessoa, tudo de uma vez. Dê uma parada e faça um intervalo, se necessário, para rever todos os pontos da negociação, comparando com sua lista de objetivos, necessidades e desejos.

Muita coisa acontece durante os estágios finais da negociação. Aqui estão mais algumas dicas úteis.

Cuidado com a barganha de última hora

Já mencionei isso em capítulos anteriores, mas vale a pena repetir: as pessoas têm uma tendência natural a entrar em pânico quando o tempo está quase se esgotando. Elas temem deixar algo para trás, não atingir os objetivos ou mesmo perder totalmente o negócio. Assim, emendas ao acordo propostas por ambos os lados podem começar a aparecer na hora do fechamento. Observe atentamente para certificar-se de que não alterem materialmente o acordo e, acima de tudo, não ceda demais apenas para que o negócio seja concluído.

SEPARE O FECHAMENTO DO RESTO

Quando a negociação parece terminada e você está pronto para fechar o acordo, pergunte à sua contraparte se ela concorda com isso. Em caso afirmativo, afirme claramente que tudo que será discutido dali em diante fará parte do fechamento. O fechamento pode ter sido programado na agenda, mas geralmente não há problema em fazê-lo antes, se você estiver pronto. Com mais frequência, o início do fechamento é simplesmente decidido ao longo do processo. Se sua contraparte ainda não estiver pronta, concorde com mais tempo, caso solicitado.

Separar o fechamento do resto permite duas coisas. Em primeiro lugar, coloca ambas as partes em um estado de espírito de conclusão, no sentido de documentar e ajustar *o que já foi discutido*, em vez de introduzir novos itens na negociação. Em segundo lugar, e relacionado com isso, um fechamento em separado torna menos provável que algo novo seja acrescentado para complicar a negociação ou fazê-la pender para uma das partes. Também representa um novo começo se ambas as partes estiverem desgastadas com o esforço feito até agora.

Resolvendo objeções

Embora o fechamento tenha recebido o aval de ambas as partes, podem surgir problemas se uma delas se opuser a um ou mais termos que estão sendo revistos. Se isso acontecer, você precisará lançar mão de suas habilidades de negociação, e de um pouco de paciência, para resolver as objeções e impedir um impasse. Se houver uma discordância, é melhor validá-la; assim, sua contraparte ficará mais propensa a tratá-lo com a mesma cortesia. Em seguida, trabalhe com a contraparte – e não contra ela – para resolver a divergência.

Lide com problemas e objeções rapidamente. Fica mais difícil quando se está perto de fechar um acordo.

Traga à tona a objeção implícita

Se você sentir que há uma questão mais profunda nas afirmações de sua contraparte, faça algumas perguntas exploratórias para trazer tudo à tona. Você poderia dizer: "Parece que algo sobre esse tópico não está muito certo. Há algum outro problema que o preocupa?".

Seja compreensivo e ofereça ajuda. Lembre, tudo gira em torno de encontrar o resultado ganha-ganha.

O FECHAMENTO: QUANDO E COMO

Quando chega a hora de fechar, há alguns sinais óbvios, e outros não tão óbvios, de que é o momento certo de agir. Se a maioria das metas e objetivos de ambas as partes parecem ter sido alcançadas, talvez seja a hora de avançar para o fechamento.

Um primeiro passo para ambas as partes é revisar as anotações feitas durante a discussão. Em uma negociação mais lenta e profunda, isso é importante, pois você pode não se lembrar de todos os detalhes ou se lembrar de *muitos* detalhes mas perder a floresta estratégica entre as árvores táticas (você realmente concordou com o quê?). Da mesma forma, revisar as anotações é importante em uma negociação acelerada, pois tudo acontece rápido demais.

Muitas vezes é útil resumir todos os acordos feitos, além dos detalhes e termos que foram discutidos, em uma folha separada ou arquivo eletrônico. Organize os termos do acordo em uma lista, incluindo concessões e quaisquer contingências ou itens que exijam mais detalhes ou pesquisas. Escreva o mais claramente possível, segundo o seu entendimento. Se tudo correr bem, esses documentos serão as cláusulas de seu contrato.

Em seguida, compare suas anotações com as de sua contraparte ou, se ela não fez anotações, leia cada item da sua lista em voz alta. O objetivo é que as duas partes não apenas ouçam, mas *entendam* o acordo da mesma maneira. Se você achou que sua contraparte estava pagando o frete em troca de 20% de desconto nos custos de produção, mas ela achou que estava pagando 20% do frete, vocês precisam resolver isso.

Quando o acordo é um acordo?

Do ponto de vista jurídico, o fechamento ocorre quando todos os termos acordados são finalizados em um contrato claro, vinculativo, assinado, testemunhado e verificado por todas as partes. Leia o contrato inteiro e só assine quando estiver pronto. Quanto menos você puder deixar aberto à interpretação, melhor.

Concessões de última hora

Quando o fechamento não está caminhando tão bem quanto o esperado e a outra parte ainda não consegue aceitar as condições do jeito que ficaram estabelecidas, você pode oferecer uma concessão de última hora para tentar concluir o negócio. Não uma grande que mude o acordo todo – mas algo que tenha algum valor para eles. Este gesto mostra uma disposição em sacrificar algo para fazer o acordo funcionar para os dois lados. Fechar o acordo agora pode muito bem ser mais vantajoso do que o custo de uma concessão menor.

Mais uma vez, não faça dessa concessão de última hora o ponto central da negociação.

O que o está segurando?

Ainda que isso soe um pouco estranho, algumas pessoas parecem nunca querer chegar ao final de uma negociação. Pode existir no fechamento uma ansiedade que não esteve presente durante a negociação normal. O acordo pode representar um grande passo e um compromisso importante tanto para os negócios quanto para a carreira da contraparte.

Você se lembra daquela sensação de quando comprou seu primeiro carro? Primeiro computador? Primeira casa? Depois de passar meses pesquisando, comparando e refazendo seu orçamento para encontrar a melhor opção, você chega ao final da negociação pensativo, em êxtase e inseguro, tudo ao mesmo tempo. Da mesma forma, sua contraparte pode estar preocupada com a possibilidade de alguns aspectos não terem sido abordados e compreendidos. Este pode ser principalmente o caso em uma negociação feita rapidamente. Então, como chegar ao fechamento? Você pode:

- Superar o medo através da preparação; se ainda estiver preocupado, reserve um tempo para se preparar mais.
- Controlar as dúvidas sobre os detalhes, anotando-os e revisando-os.
- Não fincar o pé. Você pode perder o respeito da contraparte e possivelmente o acordo.

Todas essas dicas dependem da sua fé em si mesmo, o que, por sua vez, depende de seu grau de preparação tanto antes quanto durante a negociação.

Elogie a equipe

Um pouco de entusiasmo ajuda muito, especialmente quando a contraparte hesita. Algumas palavras de incentivo podem ajudar a lembrar a todos os objetivos que foram alcançados e o que o acordo significa para os dois lados à mesa de negociação. Às vezes, ouvir a lista de realizações em voz alta causa um impacto maior do que apenas pensar nela em silêncio. Se você estiver apresentando a revisão dos termos negociados, lembre a todos como eles se beneficiam dos elementos do acordo.

A energia positiva e a energia gerada pela conclusão são contagiosas e ajudam muito para selar o acordo e construir um relacionamento efetivo de longo prazo.

Recompensas nunca são demais

A resolução das questões, tanto na vida profissional quanto na pessoal, pode parecer um pouquinho melhor se houver algum tipo de recompensa à vista. Não apenas a satisfação de ter concluído um trabalho, acordo ou orçamento familiar, mas uma verdadeira recompensa. Descobri que famílias e membros da família preparam orçamentos e aceitam melhor os resultados se houver algum tipo de prêmio no final da tarefa: um bom jantar, algum entretenimento, uma promessa de tirar umas pequenas férias ou algo parecido.

O mesmo vale para uma negociação comercial. Se todos chegarem a um acordo ganha-ganha antes do prazo, por que não oferecer um belo jantar ou dar a todos da equipe um brinde ou uma amostra grátis de sua mercadoria? A promessa dessa recompensa pode ser feita antecipadamente ou na hora.

Naturalmente, não ofereça uma recompensa muito grande, pois isso pode apressar a negociação só para receber o prêmio prometido. Como sempre, o bom senso deve prevalecer.

COMECE COM O FIM EM MENTE – PARA O FECHAMENTO TAMBÉM

Visualize o acordo *final*

Assim como "ver o acordo" é fundamental para uma boa preparação para a negociação, "ver" o fechamento também é útil, não apenas para o fechamento em si, mas para toda a negociação. De fato, visualizar o fechamento é uma parte importante da visualização do acordo.

Todas as etapas do processo de negociação - pesquisa, planejamento, transações, construção do relacionamento - devem ser realizadas com o fechamento em mente. Ao pesquisar e preparar-se, considere os termos ou concessões que você poderia pedir no último minuto para selar o acordo. Pense nas perguntas ou objeções que sua contraparte poderia fazer e encontre as respostas com antecedência. Considere o que causaria um impasse e o que poderia ser feito para evitá-lo.

Durante toda a negociação, exerça a liderança necessária para criar uma energia e um ambiente positivos para respaldar um fechamento eficaz. Você quer atingir seus objetivos e conseguir um acordo que oficialize o cumprimento desses objetivos. Também almeja preparar as bases para uma próxima negociação.

Estou liderando? Negociando? Ou ambos?

Este não é um livro de liderança. Ou é?

Na verdade, acredito que seja. Deixe-me explicar.

Primeiramente, gostaria de apresentar-lhe minha definição de liderança, que desenvolvi ao examinar o estilo de gestão de Steve Jobs para o meu livro *O que Steve Jobs faria?* (Universo dos Livros, 2012): "Liderança é levar as pessoas a quererem – e a serem capaz de – fazer algo importante".

Digamos que você seja membro de uma equipe composta de dois lados tentando realizar algo importante (se não fosse importante, vocês provavelmente não estariam negociando, certo?). Como um bom participante da negociação, você quer chegar ao final que tinha em mente e, portanto, por que não ajudar a criar um ambiente em que os negociadores queiram encontrar o resultado ganha-ganha e sejam capazes de fazê-lo?

Ao exercer essa liderança sendo positivo, removendo barreiras, sugerindo melhorias, lidando com as emoções e fazendo as pessoas se sentirem à vontade, entre muitas outras ferramentas de liderança, você não apenas favorece a negociação como ainda aumenta a sua reputação entre os pares (e gerentes também).

Em todos os sentidos, ser o líder em uma negociação é bom para você como profissional. Aproveite a oportunidade!

NÃO APRESSE O FECHAMENTO

Lembre-se: o fechamento é uma etapa à parte, que requer tanto empenho quanto as demais etapas. Você nunca deve apressá-lo. Aqui está a lista de verificação do fechamento, com os aspectos que devem ser cumpridos:

1. Em primeiro lugar, confirme que todos concordam que é hora de fechar. Se ainda houver grandes divergências, questões em aberto ou itens com pesquisa a ser realizada, provavelmente não é hora de fechar.
2. Reveja a agenda para ter certeza de que tudo foi abordado.
3. Revise suas anotações, incluindo acordos e concessões, para verificar a abrangência e finalização de todos os termos e condições.
4. Crie listas de tarefas, se necessário, para itens a serem checados. Delegue esses itens aos membros da equipe e forneça prazos claros para a verificação.
5. Faça uma transição clara para o fechamento. Diga à equipe que é neste ponto que eles estão e estabeleça uma pequena agenda específica para o fechamento em si: quais itens ainda precisam ser discutidos, onde e como o acordo final surgirá.

Uma sessão de fechamento em separado, bem definida, com cronograma claro e ações precisas, é muito útil para você passar por essa importante etapa e alcançar o acordo geral. Neste momento, se tudo correu bem, você e sua contraparte estarão atuando como uma única equipe, buscando chegar a um acordo ganha-ganha em conjunto.

Integridade, sempre

Além da liderança, outro aspecto vital para uma negociação rápida, amigável e eficaz é a *integridade* – a capacidade de estabelecer um compromisso e cumprir as promessas feitas. Para tanto, é muito importante entender todas as cláusulas que você negociou e com as quais concordou. Não postergue essa avaliação fazendo acordos apressados. Isso voltará para assombrá-lo mais tarde; sua próxima negociação pode se tornar um pesadelo! Além disso, será preciso conviver com um mau acordo nesse interim.

ESTUDO DE CASO

Fechando negócio

A jarra de café esfriou, o prato de biscoitos está vazio e o nível de energia na sala diminuiu, embora ainda seja positivo. Você fez uma boa apresentação de sua empresa, a Produções Cinematográficas, e a Dewey & Cheatum concordou com a maioria de suas propostas. Existem ainda alguns detalhes a serem trabalhados, mas a sua sensação é de que mais discussão poderia desnecessariamente irritar as pessoas e possivelmente reintroduzir questões que já foram resolvidas.

Então, você respira fundo e diz: "Acho que estamos prontos para encerrar a negociação. Posso fazer uma breve lista do que foi acordado e do que ainda estamos discutindo? Acredito então que poderíamos deixar esses pontos menores para os advogados resolverem".

O processo todo foi evoluindo para esse momento: chegar a um acordo e elaborar o contrato. Você "visualizou" o acordo o tempo todo e agora está perto de fazê-lo por escrito. Então você se encarrega dessa parte, oferecendo-se para ajudar a encerrar a negociação e liderar o fechamento, partindo do pressuposto de que todos à mesa estão prontos. Alguns assentimentos e acenos positivos de cabeça indicam que sim: é hora de encerrar a negociação e fechar o acordo.

Você faz um intervalo para elaborar uma agenda simples para essa fase final. Compartilha a agenda, incluindo os itens para rever ou cobrir no fechamento. Também fixa um tempo, digamos, de uma hora, que você acha que pode levar para terminar o trabalho.

Durante o fechamento:

1. Você revisa o conjunto de anotações das equipes (utilizando as anotações de vários membros da equipe, se necessário). Ao percorrer as anotações, confirma o que foi realizado e reconhece as concessões e contribuições que foram feitas: "O Sr. Dewey apresentou um argumento muito bom para essa questão, então concordamos em...".

2. Com a contribuição da equipe, você estabelece uma clara concordância a respeito dos pontos que ainda não foram resolvidos e define um prazo para trabalhar neles: “Podemos pedir aos nossos advogados que discutam esses pontos na próxima semana e formalizem o contrato até 30 de maio. Todos concordam?”.
3. Você estabelece um cronograma para escrever o contrato e se oferece para que sua equipe o faça, se necessário. Isso lhe dará maior controle sobre o conteúdo exato das cláusulas do contrato e coloca a iniciativa firmemente em suas mãos.
4. Você recompensa o esforço. Quando todos se levantam, você diz, com entusiasmo: “Acho que isso merece uma comemoração. Que tal a Produções Cinematográficas oferecer bebidas a todos no restaurante aqui ao lado para celebrar nossa nova relação de trabalho?”.

É incrível, quando tudo caminha bem, como a “divisão” entre as duas partes desaparece e todos começam a funcionar como uma única equipe. É uma ótima sensação e um bom presságio para o futuro.

Capítulo 10

Finalizando o contrato

Vocês trabalharam arduamente e conseguiram encontrar o resultado ganha-ganha que dá a ambas as partes uma sensação de sucesso. Delinearam os termos do acordo; quem faz o quê, onde, quando e como. Ambas as partes concordaram com os termos em alto nível e com um grau de detalhes suficiente para prosseguir.

O que vem agora? Vocês precisam documentar o acordo. Têm de escrevê-lo, em primeiro lugar, para que todos saibam os termos e o que fazer para cumpri-los; e, em segundo lugar, para que vocês tenham algo ao que se referir, caso alguma coisa não esteja clara ou se perca na neblina do tempo. É muito importante para a maioria dos acordos (talvez excluindo aqueles com seu filho adolescente) que você os documente para torná-los juridicamente vinculativos. Os documentos legais garantem que as expectativas sejam claras e que os ressarcimentos sejam disponibilizados no caso de determinadas cláusulas não serem cumpridas.

Isso já começa a soar como linguagem "jurídica" e essa é, em parte, minha intenção. Este capítulo trata da formalização de seu acordo em um contrato e, quando necessário, um contrato formal, por escrito e juridicamente vinculativo. Não posso incluir um curso completo em direito comercial num único capítulo nem fornecer aconselhamento jurídico neste livro. No entanto, posso passar alguns conceitos básicos para que você tenha conhecimento à medida que avança nos procedimentos e busca o conselho de especialistas na elaboração e aplicação do contrato.

ELEMENTOS DE UM ACORDO

Chegando ao contrato

Utilizarei as palavras *acordo* e *contrato* de forma um pouco intercambiável aqui; os conceitos básicos são os mesmos, exceto pelo fato de que um contrato é mais formal e geralmente escrito com uma padronização e com toda uma linguagem jurídica apropriada. Supondo que você não seja um advogado praticante, seu trabalho como negociador é geralmente o de desenvolver o acordo. Você deve deixar então que advogados e/ou especialistas em contratos elaborem os detalhes, finalizem a linguagem e preparem o documento final.

Seu trabalho é negociar os termos, chegar a um acordo mutuamente satisfatório, depois transformar esse acordo em um contrato vinculante com a ajuda de especialistas. O processo é simples e direto:

TERMOS → ACORDO → CONTRATO

Embora os detalhes do acordo normalmente não sejam elaborados antes do final da negociação, é importante mantê-los em mente durante todo o processo de discussão. É importante monitorar não apenas os principais termos, mas também as nuances e os possíveis ressarcimentos se as cláusulas não forem ou não puderem ser respeitadas. Os ressarcimentos podem ser um bem ou serviço substituto, ou simplesmente a renegociação desse ponto. Ao longo de toda a negociação, fazer boas anotações garante que você inclua tudo o que quer no contrato e também é útil para esclarecer quaisquer pontos nebulosos discutidos informalmente ou antecipadamente.

SIMPLES OU COMPLEXO?

Embora minha descrição crie a impressão de que os contratos são elaborados e precisos até os *mínimos* detalhes, eles também podem ser um simples memorando de uma ou duas linhas ou uma declaração do que alguém pretende fazer em troca do quê. Procure não os tornar muito complexos e prolixos – seu objetivo é documentar o acordo de modo que:

1. Ambas as partes possam executá-lo com pouca ambiguidade.
2. Ambas as partes saibam o que constitui o descumprimento.
3. Ambas as partes, onde necessário, conheçam os ressarcimentos devidos caso um lado não o cumpra.

O contrato deve ser conciso e abranger os principais pontos do acordo, nem mais, nem menos.

TIPOS DE CONTRATOS

Os contratos servem para registrar os acordos que duas ou mais partes fizeram entre si e para descrever os termos desses acordos. Um bom contrato protege as promessas, expectativas e investimentos das partes envolvidas e, se feito corretamente, é suficiente para ser executado de tal forma que os litígios possam ser resolvidos em um tribunal de justiça.

Os contratos podem variar desde um formulário simples padrão (talvez baixado de uma fonte on-line) até documentos específicos personalizados, preparados para o acordo em questão.

Contratos padronizados

Os contratos padronizados são modelos pré-elaborados utilizados para acordos básicos, geralmente repetidos. A maioria das agências e corretores imobiliários usa o mesmo contrato padrão para todos os clientes. Esses modelos listam as condições, limitações e expectativas de entrega acordadas, e são emendados apenas para refletir os termos e disposições exclusivos para cada situação. A aparência rígida desse tipo de contrato é intimidadora, mas você pode alterar o formulário, acrescentando ou apagando itens conforme necessário, desde que ambas as partes aceitem e concordem com as mudanças (normalmente rubricando as alterações).

AS TRÊS PARTES PRINCIPAIS DE UM CONTRATO

Objeto, condições de pagamento, aceitação

Em suas raízes, um contrato tem três partes principais claramente identificáveis: *objeto, condições de pagamento* e *aceitação.*

O objeto é simples e direto: "Nós da Empresa A produziremos e entregaremos mil dispositivos por mês pelos próximos seis meses". As cláusulas de preço tratam do pagamento: "A empresa B pagará R$100,00 por dispositivo, com um desconto de 1% se for pago dentro de trinta dias". A aceitação é o retorno assinado deste acordo com eventuais outros termos acordados que surjam ao longo do caminho.

Discussões fora da negociação

As discussões fora da negociação também podem afetar o acordo. Não se esqueça de fazer anotações após cada telefonema, e-mail e outras formas de comunicação. Anote também a data e o horário em que ocorreu o contato para que as alterações discutidas fiquem registradas. Procure fazer emendas às anotações do acordo com os resultados dessas discussões para tê-las registradas.

Como veremos um pouco mais adiante, contratos verbais (e "eletrônicos") são geralmente considerados vinculantes.

Naturalmente, o objeto e as condições de pagamento podem vir de muitas formas – mas um contrato sem um objeto claro, condições claras e aceitação clara não é um contrato. Ponto.

ELABORAÇÃO DE ACORDOS E CONTRATOS

Quando a negociação termina, a próxima decisão é sobre quem redigirá o acordo. Então, você precisa decidir quem assumirá a responsabilidade de finalizar o contrato. Certifique-se de que todos concordem sobre quem conduzirá essas tarefas.

Por que se voluntariar para escrever o acordo?

Em seu livro, *The Negotiation Toolkit: How to Get Exactly What You Want in Any Business or Personal Situation* [*O kit de ferramentas da negociação: como conseguir exatamente o que você quer em qualquer situação comercial ou pessoal*, em tradução livre], Roger J. Volkema sugere que o fato de se oferecer para redigir o acordo lhe beneficia de duas maneiras. Em primeiro lugar, alivia a outra parte da tarefa e pode ser considerado um ato amável e generoso. Em segundo lugar – e mais importante –, escrever o acordo lhe dá algum controle sobre aquilo que é dito e como é dito.

O primeiro passo na elaboração de um acordo é resumir as anotações, seja o conjunto de notas escrito por um único redator ou líder da negociação, ou uma composição de vários conjuntos de anotações. Se as notas não forem suficientes, você pode ter que rever determinados pontos da negociação; dedique um tempo para isso, caso contrário, corre o risco de ver detalhes cruciais ficando ausentes, confusos, mal interpretados ou negados. As notas devem trazer ou fazer referência a cláusulas e benefícios para você e a contraparte, relatando o que deve ser entregue, as condições e os prazos, incluindo:

- Todos os termos e detalhes do acordo.
- As condições em que se baseiam esses termos.
- Material de referência, como listas de preços, informações de garantia ou apólices de seguro.
- Prazos importantes – tanto os seus quanto os de sua contraparte.
- Custos, preços, porcentagens e outros termos e condições.
- Ressarcimentos em caso de descumprimento ou execução modificada.
- Termos para rescisão e/ou renegociação do contrato.

Pedir para um terceiro? Um advogado?

Muitas vezes é útil chamar um terceiro para redigir o contrato – um colega de trabalho, um especialista em contratos ou até um advogado para um acordo complexo. Essa terceira pessoa é imparcial e pode se concentrar nos detalhes do acordo. É uma prática recomendada fazer com que ele fique ali durante as negociações para fazer suas próprias anotações e entender o que se pretende.

Seja ou não redigido por um profissional, uma breve revisão do contrato por um advogado geralmente é uma boa ideia. O valor cobrado provavelmente será pequeno e a experiência pode ser inestimável. Os advogados podem detectar erros, omissões e ambiguidades e tornar a linguagem mais rigorosa onde for necessário.

Naturalmente, essas dicas não se aplicam a todas as situações. Use seu próprio julgamento e obtenha a aprovação do restante de sua equipe e de sua contraparte sobre quem trazer para redigir o acordo.

OS CONTRATOS VERBAIS SÃO VINCULATIVOS?

Trata-se de uma questão fundamental no contexto atual de negócios acelerados. Muitos contratos podem surgir de um simples telefonema ou de uma conversa no campo de futebol. As leis estaduais nos Estados Unidos variam, mas a resposta básica é sim, os contratos verbais são passíveis de ações na justiça na maioria dos locais. Se existe um objeto, condições de pagamento e aceitação, o contrato costuma ser vinculativo, com algumas exceções, como os contratos imobiliários.

Naturalmente, é útil documentar os termos acertados após o acordo verbal, caso contrário pode ser difícil acionar a justiça. Se você faz muitos acordos informalmente, vale a pena consultar um advogado para ver se eles podem ser considerados contratos. É importante ter em mente que um compromisso feito por telefone, mensagens de texto ou outros meios também pode ser acionado na justiça, mesmo não tendo sido essa sua pretensão original.

O acordo e o consequente contrato devem explicitar todos os detalhes das ações e compensações acordadas, cláusulas de rescisão ou alteração e, em alguns casos, consequências para a quebra ou violação dos termos.

Contingências

Além disso, deve ser previsto o que acontece caso haja um imprevisto. Se houver um incêndio e a instalação da produção for danificada antes que o trabalho seja concluído, como você deve proceder? O contrato se tornará nulo e sem efeito?

Condições

Condições é um termo chique para se referir às compensações ou promessas tangíveis. Como princípio padrão do direito contratual, um contrato só é legal e válido se algo de valor for trocado por outra coisa de valor e se ambas as partes concordarem com todas as cláusulas. Além disso, alguns estados norte-americanos exigem que as considerações sejam feitas por escrito para que o contrato seja considerado juridicamente vinculativo.

As condições incluem quaisquer formas de compensação – geralmente dinheiro, mas pode ser outro item tangível. Como princípio geral, você deve fazer *algo* à outra parte para poder exigir que ela faça algo a você, ou então, não se trata efetivamente de um contrato.

O que significa "descumprimento"?

O descumprimento significa que o contrato não é válido; você ou a outra parte não executou a sua obrigação na transação. Por exemplo, se você não deposita um pagamento exigido, o contrato se torna tecnicamente nulo e sem efeito, e a pessoa que tiver sido prejudicada pode se negar a realizar a obrigação dela e/ou tomar medidas legais contra a outra parte (você).

Revisão do contrato

Quando chega a hora de finalizar o contrato, é importante fazer uma revisão cuidadosa. Uma boa ideia é fazer com que um colega imparcial e/ou advogado repasse todos os detalhes, compromissos, ressarcimentos e possíveis omissões. Se algo precisar ser alterado, faça com que ambas as partes rubriquem todas as mudanças e assinem todas as páginas.

Revise e refaça o contrato quantas vezes for preciso até ficar totalmente satisfeito. No entanto, não exagere - você não deve renegociar nada a menos que seja absolutamente necessário.

Assim que o contrato tiver sido redigido e todas as emendas, acordadas, deve-se marcar uma última reunião entre você, a contraparte e qualquer outra pessoa envolvida na elaboração do contrato final.

ESPERANDO O INESPERADO

Ressarcimentos contratuais

Supondo que o acordo foi negociado de boa-fé, que ambos os lados estejam dispostos a executar sua parte no acordo e que não haja "circunstâncias atenuantes" significativas durante a execução do mesmo, tudo bem. Nesses casos, o que vem a seguir não se aplica. Mas os negociadores estão cientes – ou deveriam estar – do que pode acontecer se um contrato negociado der errado. Esse conhecimento, evidentemente, ajuda os negociadores a trabalhar no sentido de fazer um acordo mais blindado contra erros.

A lei contratual responsabiliza as partes por deixarem de cumprir seu lado do acordo. Suponha que você e uma contraparte façam um negócio em que você se compromete a pagar R$20 mil pelo carro daqui a uma semana. Você explica que precisará vender o seu carro atual para conseguir os R$20 mil. Depois de uma semana, e tendo vendido o seu carro, você descobre que o proprietário do veículo que você pretendia comprar o vendeu para outra pessoa por R$24 mil.

Embora talvez não exista um contrato por escrito, foi feita uma promessa verbal na qual ambos concordaram com os detalhes especificados. Você fez planos baseados nesse acordo e a lei contratual protege seu direito de realizar atos em função dessas promessas. Ela responsabiliza a outra parte por não cumprir uma promessa. Naturalmente, se houver um contrato por escrito, as chances de provar suas afirmações são muito maiores.

DESISTINDO DO CONTRATO

A maioria das pessoas já passou pelo remorso do comprador. Você encontra algo que quer, compra e depois muda de ideia. Quando se entra em um contrato comercial, muita coisa depende do que a outra parte está disposta a fazer. Se você quiser sair do contrato, a outra parte pode permitir, a fim de manter a integridade do relacionamento. Talvez tenha ocorrido um equívoco ou algo inesperado e sua contraparte ache que liberá-lo é uma opção melhor do que fazê-lo cumprir o contrato. Embora a contraparte possa simpatizar com seus motivos para querer cancelar o contrato, ela não é obrigada a deixar que isso ocorra.

A regra do período de "reflexão"

Em sua regra sobre o período de "reflexão", a Comissão Federal de Comércio dos Estados Unidos (Federal Trade Commission – FTC) determina que se você adquirir um item por R$100,00 ou mais em um local longe do endereço permanente do varejista e mudar de ideia sobre a transação, tem direito a um reembolso total no prazo de três dias a contar da data da compra.

A regra se aplica a quaisquer vendas que tenham sido feitas em uma residência privada, feira, quarto de hotel ou restaurante. Há muitas exceções a essa regra, que podem ser consultadas no site www.ftc.gov. É um bom exemplo dos tipos de princípios legais e precedentes jurídicos que podem entrar em sua negociação. E ter um profissional com quem discutir tais assuntos é um bom motivo para levar seu advogado para almoçar de vez em quando.

QUEBRA DE CONTRATO E COMO LIDAR COM ISSO

Uma quebra de contrato acontece quando uma parte deixa de cumprir o que foi acordado. Para qualquer violação, você deve decidir sua importância, quer se trate de um descumprimento na qualidade, entrega ou algum outro aspecto. Naturalmente, levar a questão aos tribunais em busca de ressarcimento vai custar dinheiro e tempo.

Por exemplo, se sua contraparte entregou os bens três dias após a data acordada e o último envio não prejudicou sua empresa, você não deveria considerar isso uma quebra de contrato, embora possa discutir o assunto com a contraparte. Se, por outro lado, a violação for muito significativa para ignorar, há muitas opções disponíveis.

Execução específica

Em um tribunal de justiça, o réu pode ser obrigado a cumprir uma "execução específica" - ou seja, concluir os termos do contrato em vez de, ou além de, indenizar os danos.

Essa forma de decisão é bastante rara e é reservada principalmente para casos de imóveis nos quais o vendedor muda de ideia e não quer cumprir a promessa feita ao comprador. Se a "execução específica" for concedida, a parte infratora será obrigada a entregar as mercadorias, realizar o trabalho ou efetuar o pagamento exigido no contrato.

Danos consequentes e incidentais

Há muitas formas criativas de obter o que foi prometido e, na maioria das vezes, obviamente, envolve dinheiro. Além de avaliar o montante de suas perdas, o juiz pode exigir que os honorários advocatícios ou os "danos consequentes e incidentais" - dinheiro exigido por perdas previsíveis relacionadas com a quebra do contrato – sejam pagos pela outra parte. Voltando ao exemplo da venda do carro, como o proprietário do veículo sabia que você estava vendendo seu antigo carro para pagar pelo novo e, mesmo assim, repassou o carro para outra pessoa, você teria direito a algum pagamento por danos, pois ele estava ciente dessa contingência. A quantia a ser indenizada geralmente cabe ao juiz determinar, a menos que você possa provar danos específicos.

O que é responsabilidade civil?

A responsabilidade civil é semelhante à quebra do contrato, mas geralmente se refere a danos que vão além dos termos do contrato. Esse tipo de dano pode estar relacionado à reputação de uma parte ou afetar a capacidade física de uma das partes para fazer algo. É um delito civil exigindo uma reparação definida pelo tribunal que vai além dos termos do contrato.

Rescisão e anulação

Outros ressarcimentos dizem respeito à situação do contrato em si. Se o juiz decide pela rescisão contratual, o acordo é cancelado, todos os adiantamentos devem ser devolvidos e as partes deixam de ser responsáveis pela sua parcela das cláusulas.

Embora você não possa ser exonerado de acordos comerciais ruins, os juízes podem, em certos casos, anular um contrato ilegal. Por exemplo, se um adolescente de 16 anos assina um contrato para a compra de um carro, esse documento não é vinculativo, pois se trata de um menor que precisa do consentimento dos pais para fazê-lo.

O QUE PODE ANULAR UM CONTRATO?

Desistência legal de contratos assinados

O direito contratual geralmente determina que os contratos possam ser invalidados em certas condições, quando ocorrerem deturpações deliberadas. Essencialmente, é melhor ser totalmente sincero e honesto, embora o fato de usar um pouco de hipérbole ou exagero de vendedor em atributos mais subjetivos ("esses dispositivos são os melhores que você pode comprar!") não deva trazer-lhe muitos problemas. Mas "negociar uma mentira", deturpando intencionalmente fatos ou atributos, já é outra questão.

BOA-FÉ OU MÁ-FÉ?

Quando duas ou mais partes entram em uma negociação, presume-se que todos os envolvidos são honrados e cumprirão seus compromissos contratuais. A boa-fé também implica que todos serão justos e sinceros no cumprimento do propósito da reunião. Quando uma contraparte faz concessões que não pretende cumprir, ela está agindo de má-fé; um acordo poderá ser considerado nulo e sem efeito se a má-fé estiver suficientemente presente para influenciar o resultado da negociação.

Falsidade ideológica e coação

Se a outra parte lhe disser algo que ela sabe ser falso e você assinar o contrato baseado na crença de que a afirmação é verdadeira, pode rescindir o contrato no tribunal. O mesmo vale ainda que a outra parte não esteja ciente de que a informação era falsa. Saiba que, no caso de ter um contrato cancelado, você será obrigado a devolver qualquer compensação recebida. Isso inclui dinheiro, produtos, chaves do carro da empresa e garantias, para citar algumas.

Da mesma forma, se você assinou um contrato mediante coação (sob a mira de uma arma é o exemplo extremo, ou talvez quando gravemente doente), esse documento não será considerado legal. Um contrato só pode ser válido se ambas as partes concordarem voluntariamente com seus termos. Ele não poderá ser aplicado se uma das partes foi obrigada a fazer algo que não teria feito em condições normais.

Fraude

De acordo com o *Merriam-Webster's Dictionary of Law* [*Dicionário Jurídico da Merriam-Webster*, em tradução livre], a definição legal de *fraude* é "uma perversão intencional da verdade com o propósito de obter algo valioso ou promessa de outrem". Semelhante à falsidade ideológica, a fraude é um ato em que uma pessoa apresenta informações falsas, fazendo com que a contraparte sofra uma perda. As diferenças: a fraude é intencional e é uma infração penal.

RESOLVENDO UM CONFLITO

Às vezes um desentendimento simplesmente não desaparece, e o espectro do litígio entra em cena. Uma ação judicial é uma decisão que não deve ser tomada de forma apressada, e a assessoria jurídica é importante nesse momento. O processo litigioso nos Estados Unidos difere de estado para estado e está fora do escopo deste livro. No entanto, aqui estão algumas alternativas que podem ajudar a contornar o litígio formal como solução para resolver conflitos em acordos e contratos.

Resoluções alternativas de conflitos

Antes de recorrer a processos judiciais, o direito contratual prevê métodos alternativos para resolver conflitos fora dos tribunais. Muitos desses métodos envolvem algumas das mesmas habilidades de negociação que originalmente o trouxeram para essa transação. Como era de se esperar, as resoluções alternativas de conflitos são voltadas a resolver disputas sem o desperdício de tempo, despesas e possíveis danos à reputação dos litigantes.

Três métodos estão disponíveis: negociação e acordo, mediação e arbitragem.

Negociação e acordo

Negociação e acordo é um retorno à mesa de negociação dos dois lados originalmente envolvidos. A negociação é reaberta, os "pontos de discórdia" são resolvidos e as contrapartes chegam a um novo acordo ou fazem emendas ao existente. Nenhum terceiro é formalmente envolvido, embora uma ou ambas as partes possam optar por trazer alguém neutro para mediar a discussão.

Mediação

A mediação envolve a intervenção de um terceiro, um mediador trazido para conduzir formalmente a discussão. Embora possa ser alguém altamente experiente naquilo que está sendo negociado ou questionado, esse conhecimento muitas vezes não é necessário. No entanto, o mediador deve ser profissional, com experiência na área de resolução de conflitos. O trabalho dele é ajudar ativamente as partes em conflito a encontrar uma maneira de chegar a um acordo (não apenas conduzir a reunião), em especial quando a negociação está em um impasse.

O mediador oferece um novo ponto de vista sobre a situação. Essa visão pode ajudar as partes em conflito a trabalhar no sentido de uma possível solução. Como o mediador trabalha para ambas as partes, ele não tem desejo de se agarrar a determinadas concessões ou de fazer exigências. Na verdade, tenta encontrar o melhor resultado ganha-ganha possível, com base nos fatos e objetivos das partes envolvidas.

A mediação não é um procedimento jurídico nos moldes de um julgamento; o mediador não pode decidir com qual das partes irá concordar. Trata-se de uma reunião informal em que ele conversa com ambas as partes em conjunto e separadamente para reorientar a atenção delas para os objetivos e as formas de alcançá-los.

Os mediadores são trazidos para negociações e conflitos para evitar litígios. Se ações judiciais já foram movidas, eles podem ser chamados para evitar acumular mais custos judiciais e advocatícios. Como todas as partes envolvidas compartilham os honorários do mediador, a mediação pode muitas vezes ser a opção mais favorável e vantajosa em termos de custo-benefício.

Da mesma forma que o contrato resultante de uma negociação, o acordo mediado é documentado, assinado e tem valor legal. Se o acordo for alcançado depois de aberto um processo judicial, o tribunal receberá uma cópia e o caso poderá ser arquivado.

Arbitragem

A arbitragem é semelhante à mediação, no sentido de que é um tipo de resolução alternativa de conflito que envolve a inclusão de um terceiro para ajudar a solucionar a discórdia. Neste caso, porém, o árbitro realiza uma audiência e depois decide o resultado. Quase equivale ao litígio, mas é mais rápido, mais barato e mais flexível. Não é preciso preocupar-se com o calendário e a pauta do tribunal, e as partes podem decidir sobre as regras em vigor durante o período de arbitragem.

Por exemplo, provas que não seriam permitidas em um tribunal podem ser apresentadas na arbitragem. Além disso, as partes podem decidir quem serão os árbitros e se a arbitragem será vinculativa (as partes são obrigadas a seguir as decisões finais do árbitro) ou não (as partes levam em conta as decisões finais, mas não são obrigadas a cumpri-las). Uma vez concluída a arbitragem, a decisão resultante não pode ser contestada. O conflito é considerado resolvido e o caso, encerrado.

Quem pode ser um árbitro?

Qualquer um pode ser árbitro, desde que ambas as partes concordem. Normalmente, os árbitros são especialistas no assunto em discussão, membros confiáveis da comunidade (como os líderes espirituais) ou indivíduos com muitos anos de experiência em Direito (como juízes ou advogados aposentados).

Ao escolher um árbitro, procure um candidato com experiência no assunto, que também possua boas habilidades para redigir, falar e organizar. O indivíduo deve ter a capacidade de resumir rapidamente as informações e tomar decisões eficazes. É bom analisar o histórico dele. Um candidato ideal deve ter uma experiência coerente com sua situação e um histórico de resoluções rápidas, amigáveis e eficazes de conflitos semelhantes.

Capítulo 11

Negociando para o longo prazo

Até este ponto, você leu sobre estratégias, táticas, armadilhas e mecânicas de uma negociação rápida, amigável e eficaz. Entendeu que a melhor abordagem é o resultado ganha-ganha e que o maior segredo para o sucesso é a preparação. Adotou um estilo de negociação e aprendeu a lidar com os outros estilos. Tem as ferramentas para enfrentar qualquer negociação – seja com uma contraparte comercial ou com seu próprio filho adolescente – com confiança e estilo.

No entanto, com o passar do tempo, os negociadores experientes e profissionais, incluindo todos aqueles para quem a negociação não é o trabalho principal, mas um complemento ao que executam, percebem que a negociação não se refere apenas à elaboração de um acordo. Trata-se de construir e desenvolver relações de longo prazo, além de uma reputação de longo prazo como negociador justo e eficaz.

Aquilo que você é como negociador pode ter muito a ver com aquilo que você se torna como profissional. Por quê? Dois motivos. Em primeiro lugar, e mais óbvio, caso consiga negociar com eficácia, você e sua organização obtêm o que precisam ou desejam à medida que os acordos são feitos. Em segundo lugar, sua reputação de negociador justo e eficaz o precede à mesa de negociação, o que, além de reforçar sua posição como profissional, gera confiança e respeito de suas contrapartes. Isso, por sua vez, faz com que cada negociação seja mais rápida, amigável e eficaz. É um ciclo virtuoso que tem você como beneficiário.

Este último capítulo sugere formas de ir além do fechamento de um acordo, no sentido de cultivar uma reputação favorável e uma competência de negociação para o longo prazo.

LEMBRE-SE, TUDO GIRA EM TORNO DA CONFIANÇA

A confiança é a base do relacionamento

Em muitos aspectos da vida, tanto pessoais quanto profissionais, construir e manter a confiança é uma base fundamental para fazer qualquer coisa. Dito de outra forma, sem confiança você ainda pode ganhar na negociação, mas será muito mais difícil. A confiança põe o negativo de lado em um relacionamento, enquanto a falta de confiança coloca o negativo bem no centro. Por esse motivo, construir e estabelecer a confiança devem ser seus objetivos principais e prioritários, tanto no trabalho quanto fora dele.

A melhor maneira de trazer a confiança para uma negociação é tê-la como parte de sua reputação. Para os novos negociadores, isso pode ser mais difícil. Você gera confiança através de um relacionamento amigável, reforçando a ideia do resultado ganha--ganha e mostrando que não está nisso "apenas para ganhar" e passar para a próxima negociação o mais rápido possível. Você é honesto, acessível, comunicativo e trabalha de forma colaborativa para o desenvolvimento de soluções que funcionem. Mantém sua palavra, faz promessas que cumpre e é uma pessoa fácil de trabalhar.

Suas palavras e ações demonstram sua confiabilidade e compromisso. Você é uma pessoa que faz e não apenas fala. Apenas dizer: "Você pode confiar em mim" não parece muito convincente. Pior ainda, muitos acabam entendendo o oposto ao ouvir isso. Você percebe que sua sinceridade fica comprometida se parecer muito decidido ou ansioso para causar uma boa impressão. Evita o comportamento passivo-agressivo. É autêntico, não um personagem ou personalidade inventada. Faz o que for necessário para evitar que sua contraparte fique cética.

Ajuste o botão para o resultado ganha-ganha

Já mencionei isso muitas vezes, mas é preciso repetir. Em qualquer negociação, a contraparte tem que se sentir confortável para trabalhar com você desde o início. A principal maneira, e mais óbvia, é reforçar o paradigma do resultado ganha-ganha. Explique que vocês dois têm muito mais a ganhar trabalhando em conjunto do que um contra o outro. Se a outra parte concordar, ótimo. Se oferecer resistência ou parecer cética, assegure-lhe que uma solução ganha-ganha é a forma mais rápida, fácil e ideal de atingir seus objetivos – já foi comprovado milhões de vezes ao longo da história humana.

FALE SUAVEMENTE, FALE PRIMEIRO E SEJA ACESSÍVEL

O ambiente que você cria, em especial no início de uma negociação, tem o poder de influenciar a decisão de sua contraparte sobre confiar ou não. Se quebrar o gelo falando primeiro, você terá a vantagem de estabelecer um tom positivo. Pode mostrar uma conduta calma, amigável e convidativa. Fale suavemente, faça perguntas e conduza a conversa com confiança.

Já não era sem tempo

No mundo empresarial de ritmo acelerado de hoje, o tempo é essencial, não apenas para a negociação em si, mas também para as partes em negociação. É bom reconhecer isso desde o início e estabelecer não só as regras do jogo como também um tom geral que seja rápido. Na verdade, você está fazendo um pacto mútuo de não desperdiçar o tempo um do outro.

E, evidentemente, com confiança e uma mentalidade ganha-ganha, o "rápido" é o resultado mais provável de acontecer; você poderá fazer mais em um período de tempo mais curto.

Não importa o quanto você tenha de conhecimento ou influência, se jogar todo o seu peso, só conseguirá distanciar a contraparte. Em vez disso, seja acessível. Expresse seus sentimentos sobre problemas ou possíveis resultados com os quais você não concorda, mas certifique-se de manter o controle de suas emoções, permanecendo calmo e sereno. Explique por que algo não funciona para você e procure uma solução que funcione. Essa atitude positiva mostra à outra parte que você está disposto a analisar os problemas de todos os ângulos possíveis a fim de chegar ao âmago deles.

Quanto mais você se abrir, mais mostrará seu lado honesto e mais confiarão em você. Se quiser que a contraparte baixe um pouco a guarda, você terá de fazer o mesmo.

Mantenha o senso de humor

O riso é uma ótima maneira de aliviar o ambiente em qualquer situação, e também faz as pessoas falarem mais. Se vocês empacaram em um problema e sentem que esgotaram todos os ângulos, encontre uma maneira de brincar com isso. Todos começarão a relaxar e, espera-se, conseguirão avançar no tópico que estão discutindo.

Mas não seja muito tolo, de gosto duvidoso ou persistente demais. A outra parte poderá questionar sua seriedade ou, pior, ofender-se.

DIGA O QUE FARÁ E FAÇA O QUE DIZ

Além da regra de ouro (trate as outras pessoas da forma como desejaria ser tratado), não consigo pensar em outras dez palavras mais prescientes e importantes para descrever um *modus operandi* de sucesso na vida. Se você disser o que fará e fizer o que disse, de forma consistente, como as pessoas poderiam *não* confiar em você?

Se as pessoas dizem que voltarão a entrar em contato, não é legal quando realmente o fazem? Não existe sensação melhor do que quando você pode consistentemente depender de alguém, seja em um relacionamento comercial ou pessoal. Por outro lado, quando as pessoas não fazem o que dizem que farão – ou não afirmam claramente o que vão fazer (outro comportamento passivo-agressivo observado com muita frequência), você rapidamente perde a confiança.

Além disso, o "faça o que diz" deve estar sempre em ação. Se você agiu assim nove vezes e falhou na décima, a confiança acabará, mesmo que você se considere 90% confiável.

A reputação é uma coisa frágil

Gerar confiança é dizer o que fará e fazer o que disser. É também fazer o que você disser, consistentemente. O investidor bilionário Warren Buffett disse-o bem: "Leva vinte anos para construir uma reputação e cinco minutos para destruí-la".

Nunca esqueça que a confiança é uma premissa permanentemente sujeita a comprovação.

É UM ESFORÇO COLABORATIVO

Depois de estabelecer a confiança, você e a outra parte terão mais facilidade para trabalhar juntos, sem a preocupação de manipulação um pelo outro. A cada negociação posterior, essa confiança ficará mais profunda e vocês conseguirão se abrir ainda mais. Isso tudo permitirá soluções negociadas mais rápidas, amigáveis e eficazes.

Além disso, os bons negociadores sabem que o conhecimento somado de todas as partes envolvidas é mais produtivo do que o de apenas uma das partes. Bons negociadores incluem a participação de todos na sala e não têm medo de trazer especialistas. Todo mundo tem a chance de compartilhar seus conhecimentos e de expressar suas opiniões; nada fica sem ser dito ou analisado. Na verdade, esta é apenas outra maneira de estabelecer uma relação de confiança.

Não faça promessas vazias

Sempre evite fazer promessas que você não tem certeza de poder cumprir. Se alguém fizer uma pergunta que você não consiga responder, diga que irá analisar o problema – e analise. Cada vez que cumprir uma promessa, grande ou pequena, isso será lembrado. Aja consistentemente de acordo com os seus objetivos na negociação e você reforçará sua reputação. Deixe as coisas escaparem pelos dedos e você a arruinará.

Nunca esqueça que as pessoas se lembram!

Resolução de conflitos

Um indicador fundamental do seu sucesso como negociador, e das equipes de negociação em geral, é como você e elas lidam com conflitos. Começa, naturalmente, com um bom relacionamento pessoal entre as contrapartes – quando as coisas ficam difíceis, as linhas abertas de comunicação podem salvar o dia.

Resolver conflitos começa por identificá-los claramente. Inúmeras vezes as equipes de negociação perdem tempo resolvendo o problema errado; por exemplo, pechinchando no preço quando o verdadeiro problema é a qualidade. A resolução de conflitos deve começar com uma identificação clara do problema, seguida por etapas acordadas para resolvê-lo (uma espécie de pequena agenda dentro da agenda). Uma comunicação clara e a adesão aos princípios do ganha-ganha são vitais. Talvez o mais importante seja não considerar o conflito um caso pessoal e, como sempre, separar as pessoas do problema. Tentar culpar um membro de uma das equipes pelo conflito não levará a lugar algum.

PODER DO EXEMPLO, NÃO EXEMPLOS DE PODER

Essa citação, parafraseando Bill Clinton, tem muito a ver com a manutenção de uma postura colaborativa, do tipo ganha-ganha, ao mesmo tempo que você obtém o que precisa de uma negociação. Definido de forma simples, o poder é a capacidade de influenciar os outros e conseguir o reconhecimento deles. Quando digo "influenciar os outros", eu o faço no sentido de liderança – conseguir que os outros pensem algo ou queiram fazer algo – e não no sentido de controle. Ganha-ganha é liderança; ganha-perde é intimidação e controle.

Existe uma diferença entre "poder bom" e "poder ruim". O poder da reputação e da realização é muito mais eficaz do que o poder da coerção. O poder bom é mais real e duradouro do que o poder obtido por intimidação, linguajar rude, linguagem corporal "agitada" ou mesmo pelo cargo. Ambos os tipos de poder conseguem obter resultados, mas o que ganha em longo prazo é o poder baseado nas realizações. Como resumi em meu livro *O que Steve Jobs faria?*, a realização pode levar ao poder, mas o poder raramente leva à realização.

Isso tudo quer dizer o quê? Gritar e forçar – exemplos de demonstrações de poder – pode funcionar no curto prazo para manipular os indivíduos na negociação. Mas seus efeitos são de curta duração e acabam gerando ressentimento, muitas vezes mudando a direção do equilíbrio de poder. O poder pelo exemplo – estabelecendo um tom positivo, permitindo que suas realizações e reputação falem por si mesmas – tem um efeito muito mais duradouro.

O poder é o "molho secreto" de uma negociação, fazendo com que tudo corra bem e proporcionando um resultado favorável que alimenta um relacionamento positivo de longo prazo. O poder, porém, também tem a capacidade de envenenar a relação permanentemente, se utilizado em excesso. Use-o com cuidado e, se você o possui, não ostente.

CRIANDO RELAÇÕES DURADOURAS

Atuando para o longo prazo

Embora muitas negociações pareçam de curto prazo, você nunca sabe qual oportunidade de negócio surgirá a seguir. Pode até precisar renegociar partes de um acordo se algo mudar ao longo do caminho. Assim, mesmo que não pareça relevante criar uma relação duradoura, ainda vale a pena fazê-lo. Você nunca sabe se voltará a trabalhar com as mesmas contrapartes; além disso, sua reputação pode se espalhar como um fogo incontrolável - se você for estúpido durante uma negociação por achar que nunca mais verá esses sujeitos, sua reputação pode facilmente se espalhar para alguém que você efetivamente *verá* novamente. É um mundo pequeno e as notícias voam rápido.

Tendo isso em vista, sempre é uma boa ideia tratar uma negociação ou relação comercial, mesmo que gerada por um simples telefonema ou troca de e-mails, como se fosse um relacionamento de longo prazo. Nunca se sabe.

ALCANÇANDO UMA ZONA DE CONFORTO

Depois de trabalhar com alguém por um tempo, você chega a um ponto em que ambos se sentem à vontade para fazer sugestões sem preocupar-se com a reação do outro. Vocês alcançaram uma zona de conforto; a confiança assumiu o controle, e a negociação pode prosseguir objetivamente sem o ceticismo natural entre participantes novos ou desconhecidos.

Isso é importante, pois permite que você diga o que realmente precisa ser dito sem medo de que algo seja levado para o lado pessoal, prejudicando o relacionamento ou a negociação. Cada etapa de cada negociação é, na verdade, apenas mais um evento dentro de um relacionamento de longo prazo. Como tal, as partes estabelecem uma relação de entendimento e confiança mútua, e nenhum conflito, diferença ou palavra equivocada pode destruir isso.

Nunca é demais manter o contato

Uma vez tendo concluído a negociação, você simplesmente se afasta e fica esperando pelo próximo contrato ou renovação do negócio? Não deveria.

No interesse do relacionamento de longo prazo, você deve entrar em contato ocasionalmente para garantir que tudo esteja seguindo conforme o que foi negociado, como deveria. Faça contato com frequência suficiente para garantir o desempenho esperado e reforçar a boa vontade, mas não demais a ponto de ser irritante. Os bons varejistas de artigos caros já descobriram isso. Um telefonema, e-mail ou mensagem de texto de tempos em tempos pode ajudar muito a preservar e construir o relacionamento – e a facilitar as coisas na próxima vez.

APERFEIÇOANDO SUA HABILIDADE DE NEGOCIAÇÃO

Toda negociação é uma experiência de aprendizado. Você deve sempre sair de uma negociação se sentindo como se tivesse ganhado um pouco mais: mais técnicas eficazes; estratégias e táticas; e uma reputação e relacionamento mais fortes com as contrapartes e, também, com o restante da equipe e de sua cadeia hierárquica. Você aprende como apresentar os seus argumentos, como resolver conflitos e como reunir documentos de trabalho e contratos de suas negociações. A prática leva à perfeição, e a única forma de se tornar um negociador "perfeito" é, bem, *negociar.*

Depois de um tempo, você vai identificar com clareza o que funcionou bem em cada negociação. Não é uma má ideia fazer uma lista do que funcionou ou não e, talvez, anotar as três melhores e a três piores coisas que você fez ou não. Guarde esses resumos em um lugar seguro para que possa revê-los de vez em quando. Caso constate os mesmos três piores itens repetidamente, você saberá em quais áreas precisa melhorar.

Você pode achar que foi um erro. Eles, não.

Os palestrantes sabem que, embora possam martirizar-se por terem se esquecido de dizer algo, o público não sabe o que eles não disseram. Se por acaso você se esquecer de levantar um ponto em uma negociação e isso não afetar materialmente o resultado, ninguém nunca saberá. Caso tenha afetado o resultado, bem, fica a lição; talvez você pudesse ter vindo mais bem preparado ou organizado para o "dia do show".

Tente se ver como os outros o veem. E lembre-se: trata-se de resultados, não de seu desempenho em si.

Você pode pensar no uso de um sistema de classificação para medir seu sucesso. Não se martirize com o que poderia ou deveria ter feito, mas critique seu desempenho de forma justa e objetiva. Você se preparou bem? Seu estilo foi eficaz? Você conseguiu se adaptar com rapidez às mudanças? Considera que seu relacionamento com a contraparte é bom?

Não seja muito duro consigo mesmo. Você quer aprender com isso, não se punir. Reconheça que não importa o quanto tenha se sentido mal com seu desempenho, provavelmente você fez algumas coisas *boas* também. Naturalmente tendemos a prestar mais atenção aos aspectos negativos e a ficarmos mais defensivos em um esforço para nos protegermos das críticas sobre quem somos e o que fazemos. Para cada negociação, prepare um inventário; separe os aspectos bons dos ruins. Celebre o bom e aprenda com o ruim. O copo meio vazio também está meio cheio.

O BOLETIM DE NOTAS

Talvez seja óbvio a essa altura, mas todas as negociações em que você se envolve mobilizam aproximadamente o mesmo conjunto de habilidades e etapas fundamentais. Você pode criar um quadro simples de classificação cobrindo apenas alguns itens. O que se segue é um exemplo de uma pequena lista que poderia ser usada para classificar ou pontuar seu desempenho em uma negociação.

- Você "viu" a negociação: sua preparação, começo, meio e fim.
- Você preparou as informações certas – e a quantidade certa –, incluindo características do produto, ambiente competitivo etc.
- Você "conheceu" a contraparte e o que ela estava buscando.
- Você fez o acordo.
- Você atingiu suas metas e objetivos.
- Você elaborou um acordo ganha-ganha.
- Você tem uma boa ideia sobre o que deu certo e errado.
- Você aprendeu com os seus erros.
- Você promoveu o relacionamento com esses negociadores.
- Você elevou sua reputação pessoal e profissional.

Você não conseguirá a nota máxima logo na primeira vez; ninguém consegue. Mas, com o tempo, suas notas inevitavelmente melhorarão.

DESFRUTANDO DA VIAGEM

Você ficará surpreso com o prazer gerado por uma negociação bem-feita. Além da oportunidade de atingir seus objetivos e de realizar algo importante, você trabalha (e aprende) com muitas pessoas talentosas e qualificadas. Juntos, você e sua contraparte embarcam em uma jornada de descoberta e criatividade para encontrar uma solução ganha-ganha e desenvolver um plano eficaz em torno dela. Você melhora sua reputação e o relacionamento; e os laços formados ajudam nos acordos e abrem a possibilidade de futuros compromissos.

E você inevitavelmente aprende com a experiência.

PARA ACESSAR O ÍNDICE REMISSIVO
DESTA OBRA, ACESSE:
https://www.editoragente.com.br/tudo-o-que-voce-precisa-saber-sobre-negociac-o-prod.html

ESSE LIVRO FOI IMPRESSO
PELA GRÁFICA ASSAHI EM
PAPEL OFFSET 75G EM
NOVEMBRO DE 2023.